COMO UM ROLLING STONE

ENTENDA A LIDERANÇA EFICAZ DE MICK JAGGER

Como um Rolling Stone - A liderança eficaz de Mick Jagger

1ª edição: 2018

Direitos reservados desta edição: CDG Edições e Publicações

O conteúdo desta obra é de total responsabilidade dos autores e não reflete necessariamente a opinião da editora

Autores:
Jamil Albuquerque
Joilson Albuquerque

Preparação de Texto:
Lúcia Brito

Revisão Ortográfica:
Paula Santos Diniz

Criação e Diagramação:
Dharana Rivas

DADOS INTERNACIONAIS DE CATALOGAÇÃO NA PUBLICAÇÃO (CIP)

A345c Albuquerque, Jamil

　　　　Como um Rolling Stone - a liderança eficaz de Mick Jagger
　　　　/ Jamil Albuquerque, Joilson Albuquerque. – Porto Alegre :
　　　　CDG, 2018.
　　　　208 p.

　　　　ISBN: 978-85-68014-61-5

　　　　　1. Liderança. 2. Desenvolvimento pessoal. 3. Motivação.
　　　　I. Albuquerque, Joilson II. Título.

　　　　　　　　　　　　　　　　　　　　　　　　CDD - 131.3

Produção editorial e distribuição:

contato@citadeleditora.com.br
www.citadeleditora.com.br

COMO UM ROLLING STONE

ENTENDA A LIDERANÇA EFICAZ DE MICK JAGGER

JAMIL ALBUQUERQUE
JOILSON ALBUQUERQUE

2018

I can't get no, satisfaction!
Insatisfação é ruim? Será que a insatisfação pode dar bons frutos? Bem dosada, ela pode nos levar ao êxito, enquanto a acomodação leva à mediocridade. Saber transitar do fracasso à oportunidade não é tarefa para amadores. Uma certa dose de descontentamento nos motiva a buscar o autoaperfeiçoamento, e é isso que os Rolling Stones fazem, além de boa música, há mais de meio século. Por isso dificilmente surgirá no mundo uma banda igual a eles. Capitaneando o time, Mick Jagger consegue combinar talento, liderança e empreendedorismo na dose exata. Isso faz deles a maior banda de rock de todos os tempos. E é isso que você vai desenvolver ao ler este livro.

- Ricardo Bellino
Acelerador de estrelas nos negócios e sócio de Donald Trump

"O mundo, inclusive os integrantes da banda,
vão se surpreender com este livro."

— *Cacau Menezes*

Jornalista, *Diário Catarinense*

"Todos davam a banda por acabada após as tragédias que sofreram em 1969, mas eles vieram logo depois com um disco que se tornaria um dos maiores clássicos da história do rock, o *Exile on Main St*. Eles souberam lidar bem com os fracassos, por isso tornaram-se a maior banda de Rock de todos os tempos."

— *Nelson Motta*

Jornalista, *O Globo*

AGRADECIMENTOS

Os autores agradecem o apoio constante de suas famílias: Liliane, Jason, Jusanflora e Jamiê; Suzana e Ana Clara.

Um *special thanks* a Peterson Boll e Lil Zocca pela leitura dos originais e pelos *feedbacks* preciosos.

SUMÁRIO

PRÓLOGO » 15

1. MASTERMIND (MENTE MESTRA) » 31
2. AUTOCONTROLE » 39
3. CONFIANÇA EM SI MESMO » 53
4. ENTUSIASMO » 65
5. OBJETIVO BEM DEFINIDO » 73
6. LIDAR COM O FRACASSO » 83
7. HÁBITO DA ECONOMIA » 97
8. USO ADEQUADO DA IMAGINAÇÃO » 103
9. FOCO E CONCENTRAÇÃO » 111
10. TER INICIATIVA » 119
11. PERSONALIDADE AGRADÁVEL » 127
12. FORÇA CÓSMICA DO HÁBITO » 137
13. CONSEGUIR COOPERAÇÃO » 143
14. PENSAR COM SEGURANÇA » 153
15. MAIS QUE O COMBINADO » 163
16. TOLERÂNCIA » 169
17. A REGRA DE OURO » 179

EPÍLOGO » 187

NOTAS » 195

Um riff inicial de três notas em lá maior,
Com satisfação, por Shakespeare

PRÓLOGO

Meados do século 15. Desenrolava-se em campo aberto uma batalha entre soldados ingleses e franceses. No meio daquele banho de sangue, pai e filho – que lutavam no lado inglês – encontram espaço para se recompor. John escuta com atenção seu pai, o comandante Talbot, tentando convencê-lo a fugir imediatamente para o mais longe possível.

> LORD TALBOT: Mandei te buscar, John, para melhor te ensinar a arte de guerrear, mas acabaste chegando aqui em meio a esta terrível festa da morte; há agora demasiados perigos. Monta já no cavalo mais veloz e vai embora enquanto há tempo de salvar tua vida!
>
> JOHN TALBOT: Tão nefasta quanto a espada inimiga está sendo para mim esta tua fala, meu pai! Como é que eu iria embora te deixando aqui, arriscando que sejas trucidado pelos franceses? Se concordasse nisso, eu me condenaria a ser objeto de escárnio, condenado para sempre a ser uma marionete do destino.

Parece estranho que um experiente comandante como Talbot – famoso por sua honra incorruptível – tente convencer o filho a fugir da batalha, mas o contexto do diálogo na peça *Henrique VI*, de Shakespeare, torna razoável a fala daquele pai preocupado. Porém, se ele conhecesse melhor o filho e liderado, não teria de ouvir o duro discurso que se seguiu à resposta inicial, pois John era um jovem movido por sentimentos nobres, e correr da batalha para salvar a própria pele era algo a ser repudiado.

Vemos neste episódio um líder que, por desconhecer as aspirações e o caráter de seu liderado, apontou-lhe um caminho inaceitável. E apontar o caminho é uma das atribuições mais importantes da arte de liderar. Por este e muitos outros motivos, este ofício tem sido foco de tanto interesse e pesquisas.

"Desde sua infância, o estudo da história tem sido o estudo dos líderes – o que e por que eles fizeram o que fizeram", disse Bernard Bass.

Acossado pelo banho de sangue em que havia se transformado a guerra civil norte-americana, Abraham Lincoln disse que seria fácil obter quinhentos mil bons soldados e dar-lhes armas e mantimentos; mas, para obter a vitória sobre o general Lee, seria preciso um líder tão bom quanto Grant à frente do exército. É por causa da importância que se reveste a atividade de liderar que cada vez mais vamos a palestras sobre o tema, assistimos a vídeos com depoimentos e tentativas de líderes experientes, lemos artigos e livros para reciclar o conhecimento, procurando melhorá-la em nossas atividades, pois o mercado sobre esse assunto parece um pouco instável e modista, enfatizando isto ou aquilo à medida que o interesse do público muda.[1]

Há pouco mais de cem anos não havia nenhuma pesquisa exaustiva sobre o assunto, mas nas últimas décadas muitos autores ofereceram ao público centenas de bons títulos sobre o tema. O interesse crescente é o reconhecimento do valor essencial da boa liderança, pois é fácil perceber o quão prejudicial é a falta dela para qualquer atividade de comando – seja para presidir um país, uma grande empresa, uma pequena loja ou mesmo uma banda de rock, motivo deste livro.

A primeira vez que me chamou a atenção aquilo que podemos chamar de modelo de liderança de Mick Jagger foi quando os Rolling Stones lançaram *Forty Licks* em comemoração aos quarenta anos da banda. Meu irmão – e parceiro na organização deste livro – veio até minha casa para tratarmos de um assunto de trabalho e trouxe de presente o álbum recém-lançado. Antes de entrarmos no assunto daquela reunião, conversamos animadamente sobre a espantosa capacidade de sir Michael Philip Jagger em se manter na liderança por tanto tempo, unindo um time de músicos talentosos cuja média de idade é maior do que a dos anciões juízes do Superior Tribunal de Justiça.

Desde então o assunto nunca mais saiu do meu radar, levando-me a pesquisar sobre como a banda tornou-se esta instituição tão sólida e lucrativa. Eu sabia que, se fosse apenas pelas qualidades artísticas, teríamos centenas de grupos no mesmo patamar que eles. Sheryl Crow, cantora que já vendeu mais de 50 milhões de discos, disse numa entrevista que "a coisa mais complicada de estar no ramo da música é que, não importa o quão boa seja a canção que se faça, ela sempre parecerá o rascunho de uma composição dos Rolling Stones".

Sabemos que existe uma porção de bandas musicalmente tão boas ou melhores, mas que outra destas poderia ter a alegria de ver em um de seus shows, por exemplo, uma fã de 86 anos que acompanha seu trabalho desde o início?[2] Que outro grupo seria tão grande e influente a ponto de ter o Metallica como banda de abertura, como aconteceu em 2005 em San Francisco, ou ter um bairro em que a rua tem nomes de suas músicas?[3] Quando Bill Clinton, ex-presidente norte-americano, foi com sua família até o camarim de um ginásio para tietar um cantor, que banda estaria fazendo o show senão os Rolling Stones?[4] Será que quem os viu tocando no pequeno palco do Marquee Club em 1962 poderia imaginar que cinquenta anos depois aqueles mesmos rapazes ainda estariam tocando juntos – só que agora nos maiores estádios do mundo e faturando estratosféricos 550 milhões de dólares com apenas uma de suas muitas turnês?

Como estudioso da área de liderança, decidi conhecer melhor esse aspecto da vida do vocalista da banda e fui em busca de mais detalhes. Pensei que encontraria livros e artigos sobre seu estilo de liderança e administração; afinal, seu negócio arrecadou quase 2 bilhões de dólares só nos últimos 15 anos, significando que, se a banda fosse um país, teria PIB maior do que os últimos 35 países da lista das Nações Unidas. Para minha surpresa, descobri que, exceto uma ou outra menção, nada de extensivo havia sido escrito sobre este aspecto da vida de Mick Jagger. Então, se quisesse ler um livro sobre seu estilo de liderança, eu teria de escrevê-lo. Propus-me a fazer isso, mas só o faria se conseguisse encontrar algo manifestado em seu modo de liderar, ou seja, usando um critério de verificação pelos fatos, de onde eu pudesse tirar lições de comportamento e habilidade que pudessem ser replicadas em nosso dia a dia.

Foi Aristóteles quem disse que o ato de imitar comportamentos é congênito no homem e que o fazemos espontaneamente. Sendo assim, é compreensível ver alguém copiar os modelos verbais e gestuais das pessoas mais carismáticas e persuasivas. Há, porém, uma forma mais nobre de imitação que eu diria que é quando buscamos formar em nós as partes boas do caráter e comportamento daqueles que admiramos. Por isso, penso ser importante observar os exemplos daqueles que consolidaram seu comando ao longo do tempo, pois comportamentos podem ser assimilados – e imitados para o bem se assim o desejarmos. As teses sobre liderança podem ser úteis para nosso aprimoramento, mas qualquer doutrina ou ideia que tenhamos não é senão uma expressão parcial e deficiente da experiência real. Este livro se firma nas experiências reais vividas publicamente por Mick Jagger, e seguindo o exemplo, podemos melhorar nossa performance.

O INÍCIO DA SAGA

Quem assistiu aos Rolling Stones em suas primeiras apresentações voltou para casa com a certeza de que o líder era o elétrico Brian Jones, o galante garoto ruivo que quase dominava o palco com sua versatilidade. Além de excelente guitarrista, tocava vários outros instrumentos. Alguns biógrafos dizem que era necessário apenas algumas horas de treino para que conseguisse tocar com relativa competência qualquer instrumento que lhe chegasse às mãos. Além disso, seu desempenho sob os holofotes colocava a plateia feminina em polvorosa, e ele, em sua energia juvenil desembaraçada, não deixava por menos: aos vinte anos já era pai de cinco filhos com cinco diferentes mulheres.

Músico desde a infância, herdou o talento de sua mãe, professora de piano, e era o único dos cinco membros da banda capaz de ler partituras. Atraente, bem-falante e muito articulado, tinha a favor de si tantas qualidades naturais que qualquer pessoa de fora o tomaria como líder do grupo. Brian, porém, falhou em não avaliar corretamente o benefício que a boa sorte havia lhe concedido no berço. Permitiu que suas aptidões naturais se tornassem o motivo de seu infortúnio, pois, baseado em sua perícia inata, não se interessou em desenvolver outras habilidades necessárias para o triunfo. Então, assim como na velha fábula da competição entre o coelho e a tartaruga, o persistente – e não o mais esperto – é que foi coroado com os louros do triunfo duradouro.

Dois anos antes de Mick iniciar na carreira musical, um diretor da Dartford Grammar School escreveu em seu boletim escolar: "Michael Philip Jagger demonstra alguma determinação intelectual e é provável que se sairá razoavelmente bem em qualquer área profissional, embora não deva ser brilhante em nenhuma. Demonstra ser em geral um rapaz de bom caráter e é persistente quando decide dominar algum assunto".[5]

Em *The Rolling Stones: A biografia definitiva*, Cristopher Sandford conta que o perfil de Mick Jagger, segundo seus conhecidos mais próximos, era o de um garoto movido mais por trabalho duro e determinação do que por talento. Até mesmo alguns dos admiradores posteriores tinham dúvidas sobre o talento de Jagger, ainda que na escola "ninguém que o conhecesse jamais tenha questionado sua perseverança, concentração e foco nos detalhes".[6] Isso significa que as muitas vantagens que Brian tinha em seu favor mostraram-se, com o tempo, muito menos proveitosas do que o espírito persistente e decidido de Mick.

Assim que começou a andar com o grupo, Mick deve ter percebido a diferença entre liderar cordeirinhos mansos e leões resolutos e eventualmente temperamentais como Keith Richards, Bill Wyman, Charlie Watts e Brian Jones. Afinal, quem quer que já tenha liderado pequenos ou grandes grupos sabe a diferença entre liderar equipes com indivíduos mansos e liderar equipes de feras. É relativamente fácil conseguir a cooperação de pessoas superlegais, mas um tanto mais difícil consegui-la de caras durões como os outros quatro do grupo.

A capacidade de conseguir cooperação demonstrada por Mick foi uma das principais habilidades catalogadas por Napoleon Hill em sua reconhecida pesquisa sobre liderança eficaz realizada entre 1908 e 1928. Hill pesquisou cuidadosamente dezesseis mil líderes empreendedores de sucesso em suas áreas de atuação, entre eles as quinhentas pessoas mais ricas dos Estados Unidos. A pesquisa foi publicada, tornando-o um dos dez escritores mais lidos e estudados em todos os tempos. Henry Ford e o presidente Theodore Roosevelt foram algumas das personalidades que selaram uma sólida amizade com Hill em virtude desta pesquisa. "Sou grato pelo privilégio de ler os manuscritos de sua pesquisa... seus leitores serão amplamente beneficiados por este trabalho", escreveu o inventor Thomas Edison no prefácio da primeira edição. Na obra, Hill identificou algumas habilidades e competências que se destacavam na personalidade dos líderes e empreendedores de sucesso.

Já há bastante tempo familiarizado com esta pesquisa, comecei a notar as semelhanças entre as habilidades listadas e as demonstradas no comportamento pessoal de Mick em conjunto com as ações da banda. À medida que eu lia sobre ele, um padrão ia se formando, e frequentemente eu notava a semelhança das competências profissionais e emocionais do vocalista com as qualidades de liderança emergidas na pesquisa de Napoleon Hill. Percebi logo, talvez pelo meu temperamento prático, que os conceitos pesquisados por Hill adquiriam vida em situações concretas na vida pública do cantor. Então, depois de ler cerca de três mil páginas sobre a banda e seu vocalista – várias biografias, artigos, dezenas de entrevistas, matérias em revistas musicais e centenas de letras de canções –, além de assistir a alguns documentários e entrevistas televisionadas, me convenci de que era possível qualquer pessoa admirar a eficácia da liderança de Jagger sem o auxílio da admiração artística.

Percebendo claramente as habilidades de Jagger e cruzando-as com aquelas listadas na pesquisa, fiquei convencido de que o cantor tornou-se algo como um catálogo ambulante das melhores qualidades da liderança. As atitudes a que faremos referência servem como moldes estruturais para mostrar que há nele um comportamento honestamente intencional. Partindo de episódios aparentemente menores e tomando-os como ocasião para mostrar os elos entre os pequenos e os maiores, nosso entendimento sobre a liderança de Jagger irá se alargando em giros concêntricos até abarcar o horizonte inteiro de seu comportamento público, tanto na esfera pessoal quanto na de líder empreendedor.

Diz-se que pelos dedos se conhece o gigante: sendo assim, é certo que pelos resultados e qualidades de comportamento se pode bem conhecer a eficácia da liderança de um comandante. Bill Graham, produtor dos shows dos Rolling Stones por mais de vinte anos, disse pouco tempo antes de morrer: "Mick é o responsável pelo fato de os Rolling Stones sobreviverem a todas as muitas dificuldades pelas quais passaram. Admiro a sua disciplina, pois foi o que o possibilitou passar ao largo de todas aquelas loucuras do rock nos anos 1960 e 1970. Ele liderou bem a banda em todas as crises".[7]

Ian Stewart, que tocou piano na banda por quase três décadas, lembra-se de reuniões em que Mick ficava de pé, lendo uma lista de itens a alcançar e golpeava o ar para dar um efeito dramático, "como um condutor liderando os integrantes da maior banda de rock 'n' roll do mundo, uma banda que por um bom tempo se recusou a ser liderada".[8]

Alguém que observasse cada um dos cinco integrantes dos Rolling Stones de modo isolado pensaria que tais pessoas juntas jamais conseguiriam produzir algo bacana e durável, uma vez que tinham personalidades tão díspares. Se fossem ingredientes de uma refeição, seria como tentar conciliar em um mesmo prato torresmo com goiabada ou cebola crua com sorvete de morango. Haja maestria no *chef* para fazer disso um banquete.

Pode-se argumentar que o que faz a banda continuar ativa é a enorme quantidade de dinheiro que traz para seus membros. Todos eles são multimilionários. Keith possui 340 milhões de dólares; Charlie,

US$ 170 milhões; Ron Wood, US$ 100 milhões; Mick, US$ 360 milhões. Ora, é compreensível que alguém fique a contragosto em um grupo de trabalho por necessidade ou falta de opções, mas nenhum deles precisaria submeter-se à liderança de Mick por esse motivo. Além de ricos, jamais faltaria a eles oportunidades de tocar com outros grandes astros mundiais.

O argumento também se enfraquece ao considerarmos que muitas bandas se separam ainda no auge da fama, quando seus membros têm muita popularidade, porém sem ter ainda atingido segurança financeira. Foi assim, por exemplo, com os Beatles. A fama mundial não os impediu de ficarem a um passo da falência pouco antes de se separarem em 1970. A empresa administrada por eles, a Apple Corps, ia de mal a pior, e mesmo a imensa quantidade de discos vendidos não estava sendo suficiente para deixá-los protegidos financeiramente. É sabido que os últimos meses da banda foram gastos em tensas reuniões de negócios, quando a sombra da bancarrota financeira a assombrava.

A solução era relativamente fácil: fazer uma turnê e arrecadar alguns milhões. Um líder hábil faria isso, mesmo que a contragosto, para salvar seu negócio do naufrágio. Uma turnê naquele momento poderia sanar imediatamente os problemas financeiros e empresariais; quem sabe até recuperar a união de banda, desgastada há tempos. Os Beatles não faziam shows há três anos, mesmo com um grande público desejando vê-los ao vivo. Para que as apresentações pudessem acontecer, era necessário que a banda tivesse na liderança um comandante habilidoso, mas os outros integrantes talvez não vissem mais em Lennon essa pessoa; afinal, o líder, aquele em quem se reconheçam motivos para ser ouvido, acatado e seguido, só será líder se os liderados perceberem nele as qualidades que querem em suas vidas.

Se para muitos de nós a qualidade mais essencial do líder é influenciar pessoas – e eu pessoalmente concordo com isso –, então se faz ainda mais necessário que o líder seja alguém que tenha comportamento pessoal a ser admirado e um caráter a ser imitado. Lennon – que em outro contexto mais tarde cantaria "Meu coração estava batendo rápido, comecei a perder o controle"* – parece ter formado e comandado a banda até aquele ponto em que se torna necessário mais do que apenas talento e boa vontade para um empreendimento dar certo. Ele era indiscutivelmente um músico brilhante, cujas composições têm lugar cativo entre as melhores canções de todos os tempos. Entretanto, tais qualidades não são suficientes para manter um grupo unido e produzindo.

Lendo sobre a banda, percebe-se que o tipo de liderança exercida por Lennon dificilmente manteria os Beatles juntos por muito tempo. O esforço de Paul McCartney nos meses finais do grupo não foi suficiente para conciliar o interesse dos quatro em torno de um objetivo. Talvez o crescimento da influência de Paul na liderança tenha sido mais um dos elementos que fizeram a banda se separar. Quando duas pessoas montam o mesmo cavalo, disse alguém, uma tem de sentar atrás. Quando dois supertalentosos como Lennon e McCartney estão montados no mesmo cavalo, a disputa para sentar na frente pode levar ambos a cair.

---

* "My heart was beating fast/ I began to lose control", trecho de "Jealous Guy", do álbum *Imagine* (1971).

Felizmente para eles, a passagem do tempo fez com que a fama dos Beatles aumentasse e com isso vendessem centenas de milhões de discos, resolvendo os problemas de ordem financeira que por tempos os assolaram. Como os Beatles, existem centenas de bandas e empreendimentos de todos os tipos que naufragam pela falta de um capitão bem treinado nas habilidades necessárias. Para uma equipe produzir junto por mais de meio século, como os Rolling Stones, é preciso mais do que talento – e bem mais do que simplesmente querer.

Para se manter tanto tempo em plena atividade é preciso treinar algumas habilidades específicas, sem as quais a liderança enfraquece até desaparecer. Desaparecendo a liderança, sucumbem as empresas – e também cidades, estados e países –, que acabam governadas pelos mais espertos em vez de pelos mais preparados. Talvez o leitor pense: "Mas que tipo de preparo tinham os quase adolescentes membros dos Rolling Stones quando fundaram a banda?". Eu diria que a resposta é que, naquele momento, pouco ou quase nada. Mas desde então o mundo deu muitas voltas, e enquanto isso Mick se preparou. Muita água passou por debaixo da ponte, o homem foi para o espaço pela primeira vez; nossa capital, Brasília, havia sido inaugurada há poucos meses e desde então já tivemos dezesseis presidentes e oito moedas diferentes; os anos 1970 chegaram fazendo do rock a música mundial; os anos 1980 passaram deixando na história a queda do Muro de Berlim e os cabelos *mullet*; os anos 1990 ficaram na lembrança como a década em que o Google fui fundado; entramos nos anos 2000 temerosos por causa de um tal de *bug* do milênio que poderia provocar um caos ao mundo inteiro; e então chegamos em nossa década atual.

Nesse meio tempo, centenas de grandes artistas apareceram e desapareceram, enquanto Mick, Keith, Charlie e Ron continuam a todo vapor. Os agora respeitáveis e comportados senhores, todos eles avôs e bisavôs, sabem que qualquer empreendimento que queira se manter relevante precisa continuar se renovando.

O líder que leva a equipe a um estado criativo não temerá tempos difíceis. Como foi escrito em um perfil publicado numa revista norte-americana: "Quando sir Michael Philip Jagger começa a se sentir agradavelmente relaxado ou excessivamente satisfeito, um sinal de perigo se acende em seu interior, as vozes internas dizem 'não', e ele então se sente novamente convocado a criar e conquistar novas coisas". É sabido que a maré cheia ergue todos os barcos, mas é necessário criatividade para continuar navegando em tempos de marolinhas.

Com mais de quatrocentas canções compostas e gravadas, os Rolling Stones não precisariam mais se incomodar com isso de criar coisas novas. Mas o empreendimento cujo líder busca manter-se criativo sempre terá mais chances de perdurar. Nisso está a substância e a eficácia da liderança de Mick Jagger, com sua força criativa bem administrada por suas habilidades treinadas, postas em prática nas relações pessoais, levando o grupo a um constante estado de ação. Em uma entrevista nos anos 1980, Mick declarou que chegou ao topo por "ser um cara de sorte",[9] mas quem já leu sobre o esforço da banda ao longo dos anos perceberá que tal fala foi um momento de modéstia. Os Rolling Stones estão onde ninguém jamais esteve porque fizeram esforços que nenhuma outra banda fez. Não se permitiram criar limo.

Um amigo de longa data, Ricardo Ribas, comentou *mezzo* sério, *mezzo* brincando: "Será que vocês não pintaram Mick Jagger com cores boas demais, não? Parece que esqueceram de apontar algumas falhas que todos sabem que ele tem!". Sem perceber, meu amigo apontou a resposta dentro de sua pergunta – "falhas que todos sabem que ele tem". Foi por isso mesmo que não as apontamos: elas são conhecidas, não precisam de mais publicidade. Como todo mundo, Mick tem limitações e idiossincrasias. Não seria justo cobrar pureza e castidade de um ídolo do rock que passou as últimas cinco décadas rodeado de todos os benefícios da fama e da fortuna. É claro que haverá atitudes dele que não se coadunam com suas habilidades e competências que apontamos neste livro. Só alguém perfeito age sempre sem falhas. E sabemos que ninguém é perfeito.

É possível também que a certa altura do livro o leitor diga que as habilidades apontadas no vocalista sejam habilidades óbvias para quem é – ou quer ser – líder. Sabemos que são óbvias. Então é importante perguntar: nós as temos? Se não temos, ficaremos sabendo como treinar para obtê-las, pois são habilidades possíveis de serem aprendidas, bastando boa vontade e um pouco de disciplina.

Por isso, considerando tudo o que li sobre Mick Jagger, pareceu-me claro e patente que ele sempre soube onde queria chegar e, na jornada rumo ao triunfo, exercitou as habilidades sobre as quais falaremos nas próximas páginas, aprendendo juntos como usá-las em nosso favor. Se estamos escrevendo e lendo sobre a arte da liderança, é certo que também desejamos nos tornar melhores líderes, não importando o nosso estilo de liderar.

Este livro não é sobre um tipo de liderança. A incumbência de liderar é necessária em quase toda atividade humana, em múltiplas e distintas operações, e há elementos distintivos que acompanham o líder eficaz independentemente de seu estilo de comando. Não importa o tipo de líder que eu e você somos: de estilo mais democrático ou mais impositivo, visionário ou mais tradicional e conselheiro, ou mesmo mais pressionador ou dirigista – treinar e assimilar as habilidades sobre as quais falaremos aqui certamente aumentará o desempenho de nossa liderança, seja qual for o nosso estilo.

PS 1: o leitor perceberá que usamos alguns exemplos retirados da literatura ficcional, principalmente de Shakespeare e Cervantes. Pela mão dos mestres, a ficção consegue sintetizar longas explicações em poucas linhas, e nós eventualmente gastaríamos várias páginas.

PS 2: o objetivo deste livro não é tentar reduzir o estudo da liderança a uma mera enciclopédia de tipos e estilos dessa atividade tão nobre. Nossa intenção manifesta é ilustrar os elementos distintivos da liderança, e nos coube fazer isso por meio de uma figura pública que demonstrou ter as competências e habilidades que claramente são elementos de uma liderança eficaz.

PS 3: as dezessete habilidades e competências relacionadas na pesquisa de Napoleon Hill são: aliança de mentes ou MasterMind (Mente Mestra), autocontrole, objetivo bem definido, tolerância, confiança em si mesmo, uso adequado da imaginação, ter iniciativa, saber lidar com fracassos, hábito da economia, entusiasmo, fazer mais que o combinado, personalidade agradável, pensar com exatidão

Esteja aqui quando o apito tocar
*Preciso de uma mente abençoada para me ajudar agora**

---

* "Just be right there when the whistle blows/ I need a sanctified mind to help me out right now", "All down the line", *Exile on Main St.* (1972).

MASTERMIND
(MENTE MESTRA)

Século 14 a.C., Guerra de Troia. No acampamento grego, os generais Ulisses, Menelau e Agamenon conversam acompanhados de alguns outros oficiais. O cerco dos gregos à cidade de Troia já durava meses, e cada vez mais o papel do líder tornava-se essencial para dar unidade à tropa, pois havia sinais de fragmentação entre os oficiais e soldados. O cansaço da guerra, iniciada para lavar a honra de um dos generais gregos que teve a mulher roubada por um príncipe troiano, começava a causar desunião na tropa que havia chegado até ali em uma frota de mais de mil navios.

Ulisses manifesta preocupação com as circunstâncias: "Troia, que ainda está muito firme, há tempos já teria caído em nossas mãos não fosse o seguinte motivo: desprezadas têm sido a união e as regras do comando. Vede, Menelau, tantas facções discordantes há entre os soldados!".

O duro discurso de Ulisses no primeiro ato de *Tróilo e Créssida*, de Shakespeare, estende-se em longas considerações sobre o perigo de faltar a unidade entre os combatentes. Ulisses sabia que não importa o tamanho do poder de quem está no comando, se o time não formar uma unidade, o comandante verá ruir em pouco tempo a sua liderança.

Não era diferente nas coisas referentes aos Rolling Stones, um exército formado por cinco soldados tentando conquistar o mundo com sua música. A pressa no início levou-os a assinar um contrato com um empresário que tinha modos um tanto brutos de trabalhar. Allen Klein era filho de um pequeno comerciante de New Jersey, nos Estados Unidos, e seu modo agressivo de negociar rendeu-lhe a alcunha de "raposa mais durona da selva pop"; fez render também bons dividendos à banda num primeiro momento, levando Mick, Brian, Keith, Bill e Charlie a confiar inteiramente a ele os negócios financeiros do grupo. No entanto, o método de trabalho de Klein colocou-os em maus lençóis – fato só percebido quando já era tarde demais. Em 1970, já mundialmente famosa e vendendo milhões de discos, a banda se viu encurralada em um cipoal de milhões de libras em impostos atrasados, com finanças totalmente descontroladas.

"Depois de trabalhar por sete anos", disse Mick na época, "descobri que nada de impostos havia sido pago e que devíamos uma fortuna."[10] Os problemas ficaram tão graves que pareceu ter sobrado uma única alternativa, uma que desagradou a todos: mudarem-se imediatamente para a França, para evitar o risco de terem o patrimônio confiscado pelo governo inglês. Àquela altura, os Stones já eram celebridades internacionais, mas eram antes de qualquer coisa – e ainda que pareça difícil acreditar – homens de família, com sólidos laços afetivos na Inglaterra. A situação derrubou a energia de todos. Mas a circunstância periclitante exigia uma atitude dramática. Com muita relutância, negociaram junto ao governo francês um autoexílio na Riviera até conseguir resolver os problemas deixados por Allen Klein. A consequência foi que uma nuvem negra pesadíssima se abateu sobre a banda.

Em momentos como esse, a realidade dura e crua separa as crianças dos adultos, e líderes eficazes separam-se dos ineficazes. Um sem-número de bandas – e empreendedores e líderes de todo tipo – jogam a toalha quando se veem em situações tão tormentosas. Mas não líderes focados e treinados como Mick Jagger, que têm com seus liderados uma "união de mentes", aquilo que Napoleon Hill chamou em sua pesquisa de "MasterMind (Mente Mestra)". Hill ouviu falar sobre este conceito pela primeira vez por intermédio de Andrew Carnegie, seu mentor.[11] Carnegie, o homem mais rico do mundo em sua época, gastava boa parte do tempo no exercício da filantropia, tendo doado em vida mais de 350 milhões de dólares. Ele afirmava reiteradamente que a maior razão de seu êxito era conseguir estabelecer uma união de mentes com os companheiros de trabalho. Andrew e Hill definiram o conceito MasterMind (Mente Mestra) como a construção de uma aliança – ou fusão – de mentes, unidas em harmonia em torno de um objetivo comum. Baseados em pesquisa e prática, os dois entenderam que o alinhamento de várias mentes é sempre vantajoso aos objetivos da equipe, bem como aos objetivos individuais dos componentes. A MasterMind (Mente Mestra) de alguma forma coordena o conhecimento entre pessoas que estão harmonizadas com a finalidade de atingir um propósito.

Embora houvesse muitas faíscas na relação com os membros da banda, Mick Jagger conseguiu estabelecer e cultivar entre eles um padrão de relacionamento de MasterMind (Mente Mestra). Quando necessário, muito habilmente ele conseguia que todos vibrassem na mesma frequência. Como diz o personagem Worcester em *Henrique IV*, de Shakespeare: "Esta é a substância, o tom e o cerne do assunto: a natureza de nossa intenção não tolera quebras nem divisões". Muitos exemplos estão espalhados pelas cinco décadas de estrada da banda, mas a MasterMind (Mente Mestra) pode ser percebida de modo bem explícito em algumas sessões de ensaio e gravação.

Como mencionado, a única coisa que havia sobrado para eles naquele momento era a união entre si; além da difícil situação financeira, haviam perdido o direito sobre boa parte de suas próprias composições, incluindo "Satisfaction", para Allen Klein.[12] Restava apenas um patrimônio invisível, imaterial, intangível: a capacidade de, juntos e unidos, fazer grandes canções. O sentimento de exílio e as condições precárias se transmutavam quando todos desciam para o grande porão – provisoriamente transformado em estúdio de gravação – da Villa Nellcôte, uma mansão alugada por Keith Richards na Côte d'Azur para compor e registrar aquele que se tornaria o mais emblemático e clássico álbum da banda, *Exile on Main St*.

Em relatos e entrevistas posteriores, os Stones deixaram transparecer que o clima lá era de horas e mais horas de cansaço experimentando cada nota musical, esticando cada pequeno trecho possível que parecesse agradável, cada ideia para um *riff* de guitarra, sempre em busca de uma boa melodia para uma nova canção. Dias em que se misturavam alegrias fugazes com angústias severas, momentos prazerosos com tensão nervosa que ia e vinha, resultado da situação peculiar em que se encontravam.

"O ambiente quente e abafado do porão-estúdio punha todos em estado de desconforto físico", escreveu alguém sobre aqueles dias. Mas de repente um acorde ou *riff* soava diferente, e uma energia vibrante gerada pela união de mentes se instalava no local, acendendo uma luz no interior de cada um. Bill olhava sorrindo prazerosamente para Charlie ao encontrar o tom desejado; este, com um piscar de olhos, sinalizava para Mick, encorajando-o a seguir naquela linha; Mick dava a deixa para Keith emendar mais alguns acordes dentro da melodia, e acontecia a mágica: os Stones pariam mais uma canção.[13]

Era a MasterMind (Mente Mestra) funcionando como um sistema nervoso independente, permeando todos os integrantes. O *animus vivendi* de todos eles fora forjado como as lâminas sob as pancadas de um martelo: não seria um revés, mesmo que muito grande, que haveria de secar a capacidade de compor excelentes canções. Como disse certa vez Keith Richards sobre a composição da melodia de "Beast of Burden": "Essa música é um bom exemplo de pessoas trabalhando e pensando unidas de forma positiva".[14]

A passagem dos anos pode ter levado os membros da banda a se distanciar uns dos outros quando não estão em turnê ou gravando, com cada qual tocando sua vida, mas a energia criadora resultante da união de mentes não arrefeceu depois de cinco décadas, como fica claro em artigo da revista *Rolling Stone* sobre a gravação do recente *Blue & Lonesome* em 2016: "Mick mandou ver na gaita no tom exato, e a banda fez duas passagens de som que fluíram rápidas." De repente, contou Keith, "o estúdio começou a funcionar, e algo muito empolgante passou a acontecer. O som surgiu com tudo e foi tudo muito bom."

A mesma reportagem informa que Eric Clapton, amigo de longa data da banda, estava gravando em um estúdio próximo e apareceu para dar um alô. "Ele entrou no estúdio e teve a mesma reação que qualquer fã teria. O clima ali o deixou estupefato. Clapton ficou com uma expressão de êxtase ao ver mais uma vez de perto algo tão poderoso", disse Don Was, outro amigo presente no local.[15]

Pode parecer irreal falar sobre uma "união de mentes" eficiente quando todos sabem que Mick Jagger e Keith Richards muitas vezes estiveram em pé de guerra. "Eu diria que concordamos totalmente em noventa por cento do tempo, mas as pessoas só ficam sabendo dos dez por cento", disse Keith na mesma reportagem.

Seria possível fazer uma breve comparação do funcionamento da MasterMind (Mente Mestra) com o de nosso corpo físico quando sentimos alguma dor: se doer um dedo, todas as outras partes do corpo se concentrarão nisso, vibrando na intenção de fazer a dor cessar. Se uma alegria intensa faz o nosso coração acelerar, todo resto de nós relaxa deleitosamente, desejando que tal sensação seja a mais longa possível. Um líder que alcança esta afinação com seus parceiros estará sempre em melhor posição para criar as melhores coisas e levar sua equipe ao máximo de suas potencialidades.

A união de mentes que os Stones têm entre si não é diferente daquela que um líder de qualquer outro negócio precisa ter com seus liderados ou associados. A diferença é que, numa banda, a MasterMind (Mente Mestra) leva à composição de canções, enquanto no campo dos negócios leva os líderes eficazes aos *insights* necessários para, com seus liderados, buscar soluções e inovações, fazer surgir ideias e planejamentos de novos negócios e assim por diante.

Não devemos pensar que, ao montarmos o nosso grupo de MasterMind (Mente Mestra), haverá sempre um clima de superamizade entre os membros. Se isso ocorrer, ótimo, mas fundamentalmente o que precisa existir é o desejo comum de evoluir em direção ao objetivo. Siga o conselho de *lady* Percy a Northumberland em *Henrique IV*, de Shakespeare: "Una-se a eles como pilares que se unem por indestrutíveis vigas de aço, pois isso lhes enrijecerá ainda mais a eficácia." *Accostati ai buoni e sarai uno di essi*, ou, "junte-se aos bons e serás um deles", diz o aforismo italiano. Mick Jagger cultivou esta habilidade com seus companheiros de banda desde a fria manhã de 1961, quando ele e Keith Richards se encontraram na estação de trem. Dali em diante esta habilidade resultou em centenas de canções.

Hoje a inundação
Está ameaçando a minha vida
Me dê, me dê abrigo*

---

* "The floods is threat'ning my very life today/ Gimme, gimme shelter", "Gimme Shelter", *Let It Bleed* (1969).

AUTOCONTROLE

Uma cena campestre. Um grupo de amigos, todos pastores, deixou suas ovelhas no redil e está reunido em torno de uma cova aberta para receber o corpo de um jovem. Nos olhos deles, emoções afloradas e uma severa apreensão. A pastorinha Marcela, causa involuntária da morte prematura, observa de cima de uma pequena rocha a poucos passos do local. Ambrósio, que conduz o sepultamento, fala com emoção e reverência sobre o rapaz morto precocemente.

> Este corpo, senhores, agora estendido na sepultura, corpo para o qual olhais com olhos piedosos, foi depositário de uma alma em que o céu colocou grande parte das mais excelsas qualidades. Este gentil pastor de ovelhas, nosso mui excelente amigo Crisóstomo, homem singular em engenhosidade, de máximo espírito cortês, sempre pronto para gentilezas, sempre o primeiro em tudo naquilo que é ser bom. Foi aqui neste local a última vez que a pastorinha Marcela, sua paixão, terminou por desenganá-lo, de modo que isto terminou sendo a tragédia da sua vida, ao perder de suas emoções o controle, por isso aqui foi, em memória de tantas

desventuras, que ele determinou que o depositassem nas entranhas da terra, para eterno esquecimento.

Se fizéssemos um pequeno teste dentro de um salão com mil pessoas, pedindo que levantassem a mão todos que já tiveram algum prejuízo por conta de um descontrole emocional, ainda que brevíssimo, talvez todos levantassem o braço imediatamente. Nada mais comum. E nada mais certo do que toda vez em que perdemos o controle perdemos algo; às vezes coisas recuperáveis, às vezes irrecuperáveis. Por isso, não foi surpresa na pesquisa de Napoleon Hill o autocontrole ser apontado como uma das competências mais comuns nas pessoas de sucesso. A falta de autocontrole é sempre sinônimo de prejuízos e, em muitos casos, tragédias monumentais. O sentimental Crisóstomo, um dos personagens do clássico *Dom Quixote*, de Cervantes, permitiu que o descontrole de suas emoções o arrebatasse a ponto de desistir de tudo, inclusive da vida. Talvez este seja um exemplo excessivamente dramático.

Que tal então algo mais comum, ocorrido há uns anos com o personagem principal de nosso estudo? Algo tão trivial que certamente já aconteceu com todos nós algumas vezes: a necessidade de manter a serenidade quando a vontade quase irresistível é mandar às favas diante de situações ou perguntas capciosas propositadamente irritantes. O episódio com Mick Jagger aconteceu durante uma entrevista a Paulo Henrique Amorim, na época repórter especial do programa *Fantástico*, da Rede Globo. Os Rolling Stones estavam em Seattle, nos Estados Unidos, em uma turnê que semanas depois chegaria ao Brasil.

Mick estava bem confortável com a entrevista até o entrevistador perguntar sem rodeios: "Você já pensou em fazer uma cirurgia plástica?" O cantor, que sempre teve grandes cuidados com a forma física, mas ostenta rugas bem pronunciadas, fez uma leve careta de desconforto com a pergunta, mas, sem alterar o tom, disse apenas: "Nunca me fizeram essa pergunta antes". O leitor talvez pense: "Ué, só isso?". Sim! Porque "nestes pequenos padrões, que são a síntese da obra inteira", diz Nestor na peça *Tróilo e Créssida*, "encontramos a imagem sutil e concreta das coisas gigantescas do futuro."

Em situações corriqueiras é que se exercita a habilidade para ficar firme nos momentos de alta tensão. Quantas vezes já caímos nesse tipo de armadilha – perguntas capciosas feitas de supetão – que faz nosso sangue ferver, levando-nos a eventualmente perder a paciência e soltar impropérios, para depois, arrependidos, contabilizar o prejuízo? "Bem sei que, quando o sangue ferve, nossa alma se torna pródiga em emprestar mil palavras grosseiras à língua", diz Polônio a Ofélia em *Hamlet*, de Shakespeare.

Se um repórter fizesse a pergunta de Paulo Henrique Amorim para um encrenqueiro contumaz como Axl Rose, do Guns N'Roses, ou o irascível Glenn Danzig, poderia escutar alguns impropérios ou coisa pior. Baltasar Gracián, pensador espanhol do século 17, disse que uma das principais finalidades do autocontrole é "jamais se perder a compostura, pois assim se comporta quem está em busca de ter um espírito elevado, e todo excesso prejudica a prudência". É o autocontrole que fará com que nossos sentidos e emoções reconheçam-nos como senhor deles.

Mick Jagger precisou de um mínimo de autocontrole, o suficiente para não ser descortês na entrevista. No entanto, o autocontrole às vezes é exigido na potência máxima. Em tais ocasiões, essa habilidade fundamental só estará funcional se estiver bem fundamentada pelo treino em situações corriqueiras.

Sem um controle emocional adequado, muito possivelmente Jagger teria presenciado uma tragédia devastadora, com muitos mortos e feridos, em um dos shows de rock mais fartamente registrados da história da música.[16] Poucos eventos da cultura pop tiveram tanta repercussão em documentários e grandes matérias de jornais e revistas no mundo inteiro ao longo de tantas décadas. O evento foi idealizado pelos Rolling Stones e teve a logística organizada pelos músicos do Grateful Dead, uma das bandas mais importantes do rock norte-americano. O local escolhido foi o autódromo Altamont Speedway, próximo a San Francisco, na Califórnia.

O que havia sido idealizado como um dia de alegria e muita música tornou-se um terrível pesadelo. Na tarde de sexta-feira, 5 de dezembro de 1969, véspera do show, uma multidão já estava no local. Cerca de cem mil pessoas aglomeravam-se na área mais próxima do palco e dezenas de milhares chegavam a cada hora, trazendo tendas, colchonetes, utensílios de cozinha e instrumentos musicais.

As áreas de estacionamento ficaram caóticas: o lugar mais próximo onde os carros podiam ser deixados era um trecho inacabado de rodovia a doze quilômetros de distância. Todo mundo – a não ser os artistas e alguns convidados especiais que usaram helicópteros – teve de caminhar este trecho inteiro por estradas vicinais ou ainda mais perigosamente ao longo de uma linha ferroviária. Os serviços de alimentação, banheiros e postos de primeiros socorros enviados freneticamente ao longo das últimas 24 horas estavam longe de ser suficientes.

Nas primeiras horas da madrugada de sexta para sábado, os Stones e membros de sua equipe chegaram de helicóptero vindos de San Francisco para uma primeira inspeção da estrutura. A escuridão impediu que percebessem a pouca altura do palco.

O clima no local era tranquilo, mas mudou drasticamente na manhã seguinte com a chegada de integrantes do clube de motociclistas Hells Angels para ajudar na segurança do show. Eram cerca de cinquenta deles, todos em motos de alta cilindrada. O recrutamento dos Angels é considerado o maior erro do Altamont Free Concert. Como o pessoal de segurança profissional de outros shows – e até a polícia – não conseguia lidar com os Angels, pareceu aos organizadores que seria mais seguro incluí-los na equipe, com visão privilegiada do palco e na função lisonjeira de guarda pretoriana dos Rolling Stones. O palco de mais de um metro de altura deixava os músicos terrivelmente vulneráveis, e os Hells Angels subiam e desciam dele o tempo todo, às vezes tirando o microfone das mãos do mestre de cerimônias para dar seus próprios avisos ou apenas gritar obscenidades.

Foi nessa condição periclitante que Mick tentou fazer seu show habitual, dançando e correndo pelo palco energeticamente. "Amigos de San Francisco", disse ao microfone, "esta ainda poderá ser uma noite muito linda para todos nós. Tudo o que posso fazer é pedir para vocês, implorar: vamos ficar todos numa boa. Nós podemos fazer isso."

Bem antes disso, pequenas ocorrências, como empurra-empurra do público, bebedeiras e algazarras, levaram membros dos Angels a agredir violentamente alguns espectadores e também um dos músicos que iria se apresentar. Este incidente fez com que os integrantes do Grateful Dead – um dos principais organizadores do concerto – se recusassem a subir ao palco, temerosos de que a situação ficasse ainda mais fora de controle. Grace Slick, a vocalista do Jefferson Airplane, segunda banda a tocar, disse posteriormente: "O clima estava muito pesado. Eu esperava um clima de paz, música e tranquilidade como Woodstock, mas em Altamont estava tudo muito diferente".

Os Rolling Stones encontraram um cenário quase caótico ao subir no palco. "A atmosfera estava pesada e sombria", escreveu Keith Richards na autobiografia *Vida*. Mick, que havia sofrido uma agressão física horas antes, ao chegar ao local, não desistiu em momento algum de fazer o melhor show possível naquelas circunstâncias. "A única coisa a fazer era chacoalhar o lugar com o melhor show possível", teria dito dias depois. Mas nem o esforço da banda surtiu efeito, e a tensão atingiu o ponto explosivo enquanto a banda tocava "Under My Thumb".

O documentário *Gimme Shelter*, de George "Star Wars" Lucas, mostra claramente o quanto os Stones se esforçaram. Pode-se ver a apreensão da banda quando o irreverente Keith Richards, tenso, faz o sinal da cruz em pleno palco. Nesse momento, diante deles, a uns cinco ou seis metros, um Angel se atraca violentamente com um dos espectadores. Mick canta com um olhar fixo na confusão. Ele temia que a situação se transformasse em uma tragédia imensamente maior. Segundo o que foi apurado, um rapaz chamado Meredith Hunter ameaçou com revólver um dos Hells Angels, que reagiu ferozmente matando o rapaz com uma faca de lâmina grande.

Que reação teríamos diante de um acontecimento tão brutal? E, se além de assistir a tal cena macabra, tivéssemos que manter o autocontrole sob pena de tornar a situação ainda mais caótica? Se essa habilidade não for treinada nas pequenas situações de tensão diária, não será forte o suficiente para suportar enrascadas como essa em que os Rolling Stones estavam metidos. Mick Jagger viu algo terrível acontecer a poucos metros. Uma atitude errada ou uma fala mal interpretada, e o ambiente carregado explodiria em ainda mais violência. Suas poucas palavras em tom firme e pacificador, alicerçadas em uma postura decidida e serena, foram determinantes para que tudo acabasse bem. Seu autocontrole foi essencial. "Quando vemos o desenrolar das coisas no show de Altamont, ficamos espantados e gratos por ter havido apenas uma morte, poderia ter havido centenas", disse o jornalista Ralph Gleason na *Rolling Stone*.[17]

"Mostre-me alguém que nunca tenha sido escravizado por suas próprias emoções, e eu o conservarei para sempre no fundo do meu peito, no coração do coração", diz o atormentado príncipe ao amigo Horácio em *Hamlet*, a famosa peça de Shakespeare. O líder que tem suas emoções sob controle dificilmente perde o comando da situação.

Embora a morte em Altamont tenha sido terrível, algo pior ocorreria se lá estivesse um líder instável. Foi esta mesma habilidade em controlar as emoções que permitiu a Mick Jagger continuar um show no Swing Auditorium, em San Bernardino, Califórnia, em 5 de junho de 1964, depois que um rapaz fora de si tomou a arma de um segurança e disparou um tiro que atingiu o palco bem próximo onde ele estava,[18] e a apresentação no Hampton Coliseum, na Virgínia, em 1981, quando viu a dois passos dele Keith Richards usar a guitarra para bater em um homem que invadira o palco e viera correndo na direção dele.

Algo parecido aconteceu, porém com resultado muito diferente, em uma apresentação da banda Legião Urbana em seu último show em Brasília, em 1988. Logo no início, um fã invadiu o palco e fez algazarra, atrapalhando os músicos. Os seguranças o retiraram sem grande esforço, mas o vocalista Renato Russo ficou muito irritado ao vê-los sendo agressivos com o admirador exaltado e gritou energicamente, ordenando que soltassem o rapaz. Os ânimos se exaltaram, levando o cantor a fazer pesadas agressões verbais aos seguranças. O público pareceu não aprovar a atitude do vocalista, jogando alguns objetos no palco, mas sem perigo real. Mesmo assim, irritados, os músicos saíram e não voltaram para finalizar a apresentação.

É aqui que um maior controle emocional faria uma grande diferença. A falta dele na pessoa mais visada do ambiente provocou uma faísca que originou violência generalizada entre os que apoiaram a atitude do músico e aqueles que viram nela uma tremenda falta de consideração. O fato é que a plateia reagiu com descontrole, de certa forma espelhando o descontrole do líder da banda. O saldo nefasto foi mais de quatrocentas pessoas feridas e um grande quebra-quebra também fora do estádio. Poderia ter sido diferente se a banda ficasse no palco mesmo a contragosto, terminando a apresentação.

Muitos cometem o equívoco de pensar que uma pessoa bastante autocontrolada é fria e calculista, mas ter domínio sobre as emoções não significa necessariamente ser frio. O indivíduo com completo autodomínio eventualmente sente raiva e vontade de jogar tudo para o alto, mas sabe dos efeitos desagradáveis em seu entorno: decisões tresloucadas costumam resultar em prejuízo para todos, sejam familiares, amigos ou liderados.

Às vezes, com um pouco de sorte, haverá alguém com serenidade suficiente por perto para dizer ao líder que uma determinada decisão está sendo tomada sem a calma necessária, mas na maior parte das vezes só restará o desespero resultante do destempero, como aconteceu com o rei inglês Eduardo IV, que num momento de descontrole emocional causado por intrigas da corte, mandou executar seu irmão, o duque de Clarence. No dia seguinte, deu a contraordem, mas era tarde. Haviam executado o duque na noite anterior. Em *Ricardo III*, Shakespeare produziu um dos momentos mais pungentes da literatura ocidental na fala de Eduardo IV ao perceber o terrível resultado de sua falta de controle. Rei sagaz e honrado, o nobre Eduardo IV sentiu a alma ser transpassada pela dor de tomar uma decisão errada por impaciência, causando uma tragédia irrecuperável. Neste trecho da peça, vemos um monarca no auge de seu poder devastado pela dor causada pelo descontrole:

> Rei Eduardo: Clarence, meu irmão, foi executado? Como? Eu dei a contraordem para que o soltassem.
>
> Ricardo: Ele foi executado sob tua primeira ordem, ó rei, e essa ordem de execução foi levada por um homem ligeiro. A infelicidade fez com que a tua contraordem para soltá-lo chegasse muito tarde.
>
> Rei Eduardo: Deixai-me a sós, eu peço; minha alma agora ficou cheia de denso negror e amargura.

Sir Stanley: Mas e quanto a mim, senhor? Estou ajoelhado perante teu trono, meu rei, e não me levantarei enquanto Vossa Majestade não ouvir meu pedido.

Rei Eduardo: Então diga logo o que desejas, pois meu coração está em pedaços.

Sir Stanley: Quero o teu perdão real para um de meus criados que está condenado à morte.

Rei Eduardo: Basta! Tenho língua que condena à morte meu próprio irmão e essa mesma língua daria agora mesmo o perdão a um desconhecido? Meu irmão nunca traiu homem algum, seu crime foi o pensamento; contudo, por meu desatinado descontrole, o castigo foi sua morte amarga. Quem de vós me rogou em seu favor? Quem, em vista de meu momentâneo desequilíbrio, se ajoelhou a meus pés me pedindo que eu ponderasse? Quem de vós me falou de amor fraternal para defender o pobre Clarence? Quem de vós tentou me lembrar que Clarence abandonou seu sogro, o poderoso duque Warwick, para combater por mim? Quem me lembrou de que, quando Oxford me derrubou em luta para a morte, Clarence me salvou e disse: "Meu querido irmão, precisas viver para poder ser rei". Quem? Quem de vós tentou me lembrar de quando estávamos eu e Clarence, ambos deitados e feridos no campo, quase mortos pelo frio, que ele me cobriu com suas próprias vestiduras e se entregou quase nu à noite de frio congelante? Tudo isto de minha lembrança meu descontrole em pecado arrancou, e dentre vós não houve um só que tivesse bondade e coragem bastante para me confrontar e me pôr essas coisas em mente. Mas quando vossos servos embriagados cometem um assassínio, logo vos pondes de joelhos pedindo "perdão, perdão!". E então eu, injusto que fui com meu irmão, sou forçado a concedê-lo a estranhos?

Qual a possibilidade de uma tragédia dessa grandeza ser minimizada mediante as melhores razões? Quantas vezes demos voz a um pensamento tolo ou mesmo transformamos em ação um pensamento confuso por falta de serenidade? E quantas vezes usamos a justificativa "mas eu estava com a razão" depois de incorrer em desatinos por falta de autocontrole? O descontrolado é como o animal que se fere nas barras da própria jaula. Ter razão será consolo suficiente para a infelicidade de ter relações cortadas, ofensas lançadas, empregos ou cargos perdidos ou, como no caso dos exemplos descritos acima, as melhores e mais sólidas razões desfariam a tragédia de quatrocentas pessoas gravemente feridas ou a morte de um irmão inocente? Não, infelizmente não. Um caminhão carregado de razão não desfará o que foi mal feito por desequilíbrio emocional.

A enorme quantidade de desatinos cometidos pela falta de autocontrole vai bem além de exemplos pinçados aqui e ali. Quem deixa de prestar atenção a suas reações emocionais acabará em algum momento perdendo por completo a razão, e sabemos que quem perde a razão normalmente não faz a menor ideia de que a perdeu. Um bom observador disse que, ao contrário do dinheiro, cuja mínima perda nos faz ficar antenados, quanto mais se perde a razão, menos se percebe. Por isso, as tragédias perpetradas por desatinos e destemperos são muito mais comuns do que gostaríamos de admitir. "A raiva nos dá alguns privilégios", diz equivocadamente o conde de Kent em *Rei Lear*, de Shakespeare, tentando justificar seus descontroles. E é por muitos acreditarem nisso que tantas tragédias ocorrem diariamente no trânsito, nos lares, nas empresas e em todo lugar.

Como acontece na vida de muita gente, eu e minha família vivenciamos um fato que ilustra o quão banais são as tragédias provocadas pelo pavio curto. Foi na ocasião da morte de meu pai. Eu não tinha idade suficiente para entender aquela tristeza chocante, então a pancada condensou-se em minha memória como uma página de história escrita por um autor invisível. Eu passava e repassava os acontecimentos conforme novos dados iam surgindo – ouvindo uma coisa aqui outra ali, pois ninguém queria falar diretamente. Com o passar dos meses, a estúpida morte de meu pai foi ganhando contornos quase míticos em minha cabeça recém-saída da primeira infância. Tirando os exageros, sobrou aquilo que, mesmo sem perceber, sumarizei como a inteireza do caso.

A idade adulta me fez perceber com clareza algo que me consternou: um pouquinho mais de autocontrole teria evitado sua morte. Relutamos muito em admitir que ele tivesse morrido por causa de algo tão banal e inteiramente despido de glória. Digo despido de glória porque na pequena cidade onde morávamos as boas histórias sobre meu pai alçavam-no a um patamar quase lendário. Não havia nada de mais que o fizesse merecer tanta distinção, mas por alguma razão cada um de seus conhecidos jurava ser o melhor amigo do "Tocha", pois todos tinham certeza de que poderiam contar com ele para o que fosse preciso. Isto era verdadeiro, e talvez seja a única razão de sua boa fama.

Meu pai era um pequeno criador dos tipos mais comuns de cavalos; em 1980, aos 53 anos, ele desembarcou um caminhão boiadeiro cheio de potros em alguns sítios de uma cidade perto da nossa e na mesma tarde voltaria para casa. Na volta, ele e o motorista do frete pararam para comer no mesmo lugar das outras vezes em que tinham estado ali. Testemunhas dizem que houve uma confusão lá dentro e, em dado momento, um homem armado quis fazer meu pai calar à força de ameaças. Meu pai reagiu impulsivamente, e o rompante de fúria custou-lhe a vida. Por longos anos, sempre que essa imagem me vinha à memória, eu pensava o mesmo: "Bem que o pai podia ter contado até dez". Por coisas como essas, que acontecem todo dia na vida de milhares, é que é tão fundamental o autocontrole.

Em um estudo feito pela equipe de Napoleon Hill com cerca de 160 mil pessoas encarceradas em presídios, concluiu-se que próximo de 90% da população carcerária estava privada de sua liberdade por lhe ter faltado o autocontrole para evitar o crime cometido. Uma grande parte destes milhares de presos eram pessoas comuns, como nós, encarceradas por causa de desatinos cometidos em momento de descontrole. Estavam presas porque permitiram que a raiva as dominasse completamente na situação de tensão e deram razão ao triste vaticínio que diz que o arco do tolo dispara depressa. Por isso, o esforço em treinar o autocontrole é importante para todas as pessoas, mas para um líder não é só importante: é essencial para a liderança eficaz. Nesta habilidade, Mick Jagger também é um exemplo de liderança disciplinada.

Se eu cravasse uma caneta em meu coração
E o derramasse por todo o palco,
Isso a deixaria satisfeita, você curtiria isso,
Você pensaria: o garoto é estranho?
Ele não é estranho?*

---

* "If I could stick my pen in my heart/ And spill it all over the stage/ Would it satisfy ya, would it slide on by ya/ Would you think, the boy is strange? Ain't he strange?", "It's Only Rock 'n' Roll (But I Like It)", *It's Only Rock 'n' Roll* (1974).

CONFIANÇA EM SI MESMO

O ato 4 de *A vida do rei Henrique V*, de Shakespeare, narra o início das batalhas de Azincourt. Um mensageiro inglês trazendo o aviso de guerra está prestes a ser recebido pelo rei francês. Apreensivo e desencorajado, o soberano escuta os conselheiros com atenção, quando seu filho se aproxima do trono e diz:

> Meu pai, encurta a pretensão dos ingleses. Mostra a eles a força da monarquia da qual és cabeça. (...) Meu pai e meu rei, nenhum pecado me parece tão vil quanto a pouca confiança em si mesmo.

Nenhum de nós teria dificuldade em entender a preocupação do príncipe com seu pai. Todos nós sabemos a definição básica do vocábulo "autoconfiança". De modo sucinto, significa a convicção que uma pessoa tem de que ela consegue realizar coisas de forma eficaz. Difícil mensurar a importância da autoconfiança na vida pessoal e profissional, pois sem esta habilidade dificilmente a pessoa consegue superar reveses, comunicar com segurança suas ideias e propostas, falar o que é necessário no momento certo, passar por cima de insinuações maliciosas ou de eventuais chacotas feitas por gente descortês e coisas do tipo.

Quantos já vimos depor as armas nessa boa batalha da vida por terem deixado as maledicências contaminarem sua determinação? Quantas vezes nós mesmos já deixamos de ir em frente com um projeto por pensar, talvez equivocados, que não somos inteiramente capazes? Mesmo alguém com boa autoestima sofrerá em situações extremas como estas. Porém, quem alimenta uma saudável estima por si mesmo não ficará paralisado diante das situações vexatórias. A busca excessiva por reconhecimento revelará sempre uma personalidade titubeante, porém todos queremos – precisamos, talvez – de pelo menos um pouquinho de reconhecimento.

"Duvido", disse o conhecido pensador alemão Friedrich Nietzsche, "que existam pessoas que dispensem completamente todo e qualquer tipo de reconhecimento."[19] Afinal, um filósofo que em suas obras tenha condenado a busca por reconhecimento, não imprimiu seu nome na capa de seus livros? É certo que sim. Arriscamos dizer que, se conhecermos alguém cem por cento desprovido de tal aspiração, estaremos diante de um possível sociopata.

Mick, Keith, Bill e Charlie receberam uma boa carga de desencorajamento antes de chegar ao pódio da música. Enquanto alguns gostavam deles, muitos outros, de forte influência pública, os desprezavam e deixavam isso bem claro em suas opiniões. Pode-se dizer que os primeiros anos de estrada dos Rolling Stones foram abertos à força e facão, pois o estilo de música que faziam não era exatamente popular.

O mundo musical inglês era mais simpático a bandas e artistas mais melódicos e suaves como os ótimos Bob Cort Skiffle, Cliff Richard, Beatles ou Billy Fury. Ed Sullivan, maior apresentador de TV nos Estados Unidos por trinta anos, um dos responsáveis por tornar Elvis Presley e os Beatles imensamente famosos no país, viu uma foto e escutou algumas músicas dos Rolling Stones e imediatamente recusou-se a apresentá-los em seu palco.

"Restou a eles Dean Martin e seu *Hollywood Palace*", conta o biógrafo Christopher Sandford, "um programa que apresentava coisas pitorescas como elefantes dançarinos, acrobatas e caubóis enfeitados da cabeça aos pés." Dean Martin se divertiu bastante esnobando e fazendo chacota com a banda recém-chegada no país. "Agora teremos aqui alguma coisa para os jovens, esses cinco rapazes da Inglaterra", anunciou, com ares de sofrimento debochado pela presença dos Stones no programa. "Alguns dizem que os Rolling Stones usam cabelo comprido, mas não é verdade: eles têm a testa curta e as sobrancelhas altas", prosseguiu, rindo desdenhosamente. Dean Martin anunciou então outra atração, um velho senhor saltador de trampolim: "Este cara que vem aí é o pai dos rapazes da banda e por causa disso agora só pensa em se matar".

O compositor Bob Dylan registrou sua indignação com a atitude do apresentador no encarte da primeira edição de *Another Side of Bob Dylan*, em 1964. "Dean Martin deve pedir desculpas aos Rolling Stones", escreveu Dylan.

As falas enviesadas e sarcásticas que sempre acompanham a esperteza capciosa às vezes zunem bem próximas de nossas eventuais culpabilidades como se fossem a mais matadora bala de prata e podem eventualmente esvaziar nosso vigor. Não foi o caso dos Rolling Stones, que não se deixaram acuar pela chacota e desrespeito. Em seu íntimo, talvez sentissem o desassossego natural nas situações adversas, mas agiram destemidamente no palco, como eletricistas lidando com fios desencapados sem a proteção de materiais isolantes.

Mick Jagger, chacoalhando suas maracas com energia, tinha à direita Brian Jones soprando sua gaita decidido e concentrado; à esquerda, Keith Richards tocando vigorosamente sua guitarra Telecaster como se sua vida dependesse daquela apresentação; Bill Wyman, logo atrás, deslizava placidamente os dedos pelas cordas do baixo; Charlie Watts, na retaguarda, debulhava sua bateria trazendo no rosto a serenidade de sempre. Foi assim que executaram uma versão acelerada de "Not Fade Away",[20] saindo do palco ovacionados pelo público, não sem antes ouvir mais alguns gracejos de Dean Martin. Longe de casa, em início de carreira, tentando abrir caminho para o sucesso diante de um apresentador imensamente conhecido e influente, os Stones precisaram de bastante autoconfiança para agir "como a pulga valente que ousa comer seu desjejum no beiço de um leão", para usar a analogia do duque de Orleans em *A vida do rei Henrique V*, de Shakespeare, referindo-se aos ingleses que invadiram a França para uma guerra desigual contra um exército pelo menos três vezes maior.

Poderíamos pensar que a autoconfiança dos Stones provinha da certeza de que tinham condições de fazer uma boa apresentação. Isto é verdadeiro apenas em parte, pois uma autoconfiança saudável não está e nem pode estar ligada apenas à própria capacidade de realizar algo sob pena de nos tornarmos presunçosos e esnobes, uma vez que o excesso faz com que esta nobre qualidade, que deve funcionar como um farol apontando o caminho, acabe se tornando uma luz que ofusca a realidade.

"Aquele que se eleva na ponta dos pés", disse Lao Tsé, "não estará seguro." Por isso, é fundamental que a autoconfiança seja estabelecida e firmada por uma personalidade íntegra e caráter sólido. É a força desta integridade que dará substância à autoconfiança; de outro modo, ela será eventualmente confundida com soberba ou petulância.

No livro de Jó – considerado pelo célebre crítico Harold Bloom um dos textos mais belos e profundos da literatura mundial –,[21] vemos o personagem bíblico falando com firmeza em defesa de sua causa, certo de que, se Deus fizesse nele um rigoroso exame, encontraria sua alma limpa e suas intenções corretas. Jó se sentia seguro de que, em virtude de seu caráter reto, receberia o auxílio de que necessitava. À parte questões de crença ou religião, temos aqui um exemplo acabado de autoconfiança baseada em autoconhecimento profundo, em que o sujeito se sente apto a responder com clareza e firmeza, a quem quer que seja, a razão da confiança em si mesmo.

Quando a autoconfiança não tem base correta, a pessoa pode muito facilmente se tornar aquele tipo que senta ao lado do imperador e passa a dar ordens aos príncipes com um tipo de confiança cega que não mede os perigos. A autoconfiança sem base interna sólida corre o risco de facilmente desmoronar nas situações de tensão e pressão, ou mesmo ao menor questionamento.

O líder que tenta projetar uma autoconfiança forçada dificilmente encontrará a contrapartida desejada de seus colaboradores. Do ponto de vista da construção do caráter, a médio e longo prazo é menos prejudicial ter pouca autoconfiança do que tê-la à custa de blefes e truques, pois estes, mais dia menos dia, serão percebidos e então o prejuízo para a reputação será muito maior.

É preciso uma autoanálise rigorosa para poder se calibrar a autoconfiança e tê-la na intensidade certa, nem a mais nem a menos que o necessário. Se carecemos por completo desta habilidade emocional, devemos parar e pensar com toda a seriedade que o assunto merece, pois em muitos casos a falta de autoconfiança transformou em tragédia situações que poderiam facilmente ser resolvidas sem prejuízo algum, bastando os envolvidos terem um pouco de confiança em si.

Não seria difícil fazer uma grande lista de exemplos, mas há um que causou espanto quando li os detalhes, pensando em quantas vidas teriam sido poupadas se os envolvidos tivessem treinado essa competência emocional. Trata-se do acidente do voo 52 da Avianca ocorrido em 1990.[22] O caso é uma ilustração clara de como a falta de autoconfiança leva as pessoas a blefar, fingindo tê-la, e de como isso pode se transformar em tragédia. O acidente foi descrito em pormenores no livro *Outliers: Fora de série*.[23] O autor, Malcolm Gladwell, invoca a atenção para aquilo que alguns especialistas chamam de comunicação mitigada, uma comunicação indireta, pouco clara. Minha referência ao acidente se dá porque a comunicação ineficaz deriva em grande medida da falta de autoconfiança dos envolvidos e foi o estopim da tragédia.

O piloto Laureano Caviedes e o copiloto Mauricio Klotz decolaram de Bogotá rumo a Nova York. Uma tempestade assolava a costa leste norte-americana, com denso nevoeiro e ventos fortes. Por causa dessas condições, o Boeing 707 foi impedido de seguir para o Aeroporto Internacional John F. Kennedy e ficou sobrevoando Norfolk e Atlantic City; depois ainda sobrevoou por mais trinta minutos uma grande área de Nova York próxima ao aeroporto. Ou seja, foram três momentos em padrão de espera. Após o atraso de uma hora e dezessete minutos, a torre de tráfego deu autorização para a aeronave pousar, mas as condições do tempo novamente pioraram muito quando o avião se aproximou da pista. O pouso foi abortado. O piloto executou uma longa volta enquanto relatava a dificuldade para os controladores em terra.

De repente, um dos motores falhou. E em seguida o outro. "Mostrem-me a pista", pediu o piloto, na esperança de estar perto o bastante para tentar uma aterrissagem planando. O aeroporto estava a mais de vinte quilômetros de distância. O avião caiu em uma fazenda, 73 pessoas morreram e 85 ficaram feridas. O único motivo foi a falta de combustível. Tudo mais estava em perfeito estado de funcionamento na aeronave.

A investigação mostrou que a cabine do avião, com três profissionais sob tensão num pequeno espaço físico, manteve-se em silêncio durante a maior parte do processo de quase uma hora e meia. Ocorre que na última meia hora de voo o combustível já estava praticamente esgotado. Ciente disso, o piloto poderia ter solicitado com firmeza uma permissão urgente para aterrissar no aeroporto de Filadélfia, a apenas dez minutos de distância. Inexplicavelmente não o fez. O copiloto, responsável pelas comunicações com o pessoal da torre, comporta-se de modo passivo. Somente após o terceiro padrão de espera ele informa à torre que "talvez" o avião não tivesse combustível para chegar a um aeroporto alternativo. O piloto e o copiloto não reagiram quando a torre os encaminhou para o fim de da fila de aviões que aguardavam para aterrissar. Ir para o fim da fila foi crucial para o trágico desfecho.

Onde entra a questão da autoconfiança nessa história? Faltou autoconfiança aos pilotos para falarem com firmeza e clareza que não poderiam seguir a ordem de ir para o fim da fila. Provavelmente não falaram porque estavam lidando com controladores de voo de Nova York, famosos na comunidade da aviação como profissionais rudes e intimidadores. É terrível ter de admitir que algo tão banal tenha sido o estopim da queda do avião e de tantas mortes.

Ao analisar as transcrições e os depoimentos, Malcolm Gladwell percebeu que o piloto só mencionou a preocupação com o combustível na última parte da mensagem e propôs aos leitores que imaginassem a cena dentro na cabine. O avião com nível perigosamente baixo de combustível. O piloto diz ao copiloto para comunicar à torre a situação de emergência. Segundo as transcrições da caixa preta, o copiloto disse: "Isto é direto para um-oito-zero no aproamento. E, ah! Vamos tentar de novo. Estamos ficando sem combustível". Seria como estar em um restaurante e dizer ao garçom: "Sim, aceito mais um cafezinho. E ah, por gentileza, se puder ter a delicadeza de me ajudar, estou me sufocando com um osso de frango". Até que ponto o garçom ficaria preocupado diante de um pedido assim? O controlador na torre posteriormente declarou que havia interpretado a menção ao combustível como um comentário sem importância.

Analisadas todas as hipóteses, chegou-se à conclusão de que o voo 52 da Avianca caiu por causa da comunicação mitigada. Com base nas transcrições e nos depoimentos, não restam dúvidas de que a má comunicação deveu-se à falta de autoconfiança dos pilotos, agravada pela falsa confiança que tentaram transmitir, falando com aparente calma quando o assunto era de máxima emergência.

A falta de autoconfiança é prejudicial para qualquer pessoa, mas ainda mais perniciosa nos líderes. Em dose correta, nos faz mais aguerridos, e o aguerrido, diante das dificuldades, funciona com ainda mais disposição do que o normal.

> Você se perde, reaparece
> De repente descobre que não tem nada a temer
> Sozinho, sem ninguém por perto
> Quando uma voz hesitante, distante, incerta
> Instiga seus ouvidos adormecidos a ouvir
> Que alguém pensa que realmente encontrou você
>
> Acende-se uma pergunta em seus nervos
> Embora você saiba que não existe resposta satisfatória
> Certifique-se de não desistir
> De manter na cabeça e nunca esquecer
> Que não é a ele, a cla ou àquilo
> Que você pertence[*]

---

[*] "You lose yourself, you reappear/ You suddenly find you got nothing to fear/ Alone you stand with nobody near/ When a trembling distant voice, unclear/ Startles your sleeping ears to hear/ That somebody thinks they really found you/ A question in your nerves is lit/ Yet you know there is no answer fit to satisfy/ Insure you not to quit/ To keep it in your mind and not fergit/ That it is not he or she or them or it/ That you belong to", "It's Alright, Ma (I'm Only Bleeding)", Bob Dylan, *Bringing It All Back Home* (1965).

Agindo e reagindo com postura solidamente autoconfiante, Mick Jagger e sua banda abriram caminho para chegar aonde queriam. Sem jamais deixar de treinar e alimentar essa qualidade, hoje, com mais de setenta anos, Mick sobe sem receio no palco e saracoteia como um homem de trinta. Ninguém faz isso sem uma boa dose de autoconfiança.

Nunca, nunca pensei

Que iria encontrar tal estado de graça

Olá, alegria

Você traz amor

Ó alegria

Faça meu coração cantar*

---

* "I never never never/ Thought I'd find a state of grace/ Hey joy/ Love you bring/ Oh joy/ Make my heart sing", "Joy", *Goddess in the Doorway* (2001).

4

ENTUSIASMO

Rochester, estado de Nova York, 1922. O pequeno Joe Simon cursava a escola primária quando sua classe recebeu a visita de um veterano da Guerra Civil norte-americana, ocorrida cerca de sessenta anos antes. O ancião vestia uma farda já bem surrada. A professora o apresentou à turma sem cortesia ou distinção, somente como um soldado.

Segundo ela, aquele senhor estava ali para passar uma mensagem; tudo o que ele fez, no entanto, foi se curvar diante de cada um dos alunos e dizer gentilmente: "Aperte a mão que apertou a mão de Abraham Lincoln". Simon e seus colegas, contentes, apertavam a mão do velho combatente; tinham ali alguém que esteve um dia junto do maior líder da história da nação.

Animado com a receptividade das crianças, o veterano começou a cantar uma conhecida marcha tradicional com tema patriótico. Continuou cantando enquanto marchava em direção à porta e mesmo depois de ter saído da sala. Os alunos, entusiasmados, aplaudiam e davam socos no ar. Os olhos do pequeno Joe transbordavam de emoção. Foi naquele momento, contou ele em sua biografia, que nasceu o que viria a ser um herói de histórias em quadrinhos de sucesso mundial: o Capitão América.[24]

Uma canção singular da banda vanguardista paulistana Fellini, dos anos 1980, tinha um estribilho que despertou em mim aquela típica curiosidade adolescente do tipo mas-o-que-é-isso? O que "funziona senza vapore"?[25] Não há nada que funcione sem combustível, nem nós, foi a brilhante conclusão. A curiosidade juvenil por letras de música se devia em parte ao fato de haver ainda resquícios de mensagens cifradas para fugir da censura; eu e meu irmão gastávamos uma parte de nosso pouco tempo livre discutindo se determinada coisa era aquilo mesmo ou se, na verdade, era outra coisa.

Nada funciona sem combustível. A emoção sentida por Joe Simon e seus colegas foi a manifestação fulgurante de um combustível essencial na vida e na liderança: o entusiasmo. De uma ou outra maneira o entusiasmo permeia e influencia todo o conjunto de habilidades do líder. O leitor já deve ter percebido a interdependência entre as habilidades de liderança, que funcionam como os pilares de um prédio, conectados por vigas que os amarram um ao outro. Cada habilidade precisa de alguma outra para ser funcional. É necessário autocontrole para ter concentração e foco. É preciso autoconfiança para levar adiante as iniciativas. É fundamental ter personalidade agradável para conseguir cooperação genuína e assim por diante.

É quase impossível dizer qual das competências é a mais essencial. Para mim, particularmente, é o entusiasmo. Ainda que em pequenas porções, o entusiasmo é suficiente para suprir a falta de alguma outra competência. E sem ele não se vai longe. Pode-se dizer que o entusiasmo é a viga que amarra os pilares uns aos outros, formando um todo viável, operante e eficaz.

Embora "entusiasmo" seja um termo com significados e acepções amplas, compartilho aqui a definição mais próxima do contexto de liderança e busca pelo êxito: um estado de vigor e contentamento, resultando em uma atitude mental positiva. Às vezes, me parece que o inverso é mais correto: o estado de vigor e contentamento é o resultado de uma atitude mental positiva. As duas possibilidades se aplicam e são verdadeiras.

Uma pessoa entusiasmada sempre entenderá as dificuldades como exercícios de autoaperfeiçoamento, fazendo com que os reveses naturais da vida passem sem causar danos permanentes. De um modo poético, como Shakespeare em *Henrique IV*, poderíamos dizer que o entusiasmo é como "o pulso batendo no ritmo que deseja a alma".

A questão para nós é: existem pessoas sortudas que nascem com um entusiasmo inesgotável ou ele pode ser adquirido? E quanto ao nosso biografado? Será que o talento e a perspicácia permitiram a Mick Jagger abrir mão de tal coisa? Veremos a seguir que as qualidades artísticas e pessoais de Jagger são influenciadas pelo entusiasmo constante.

Não foi por falta de ânimo que o cantor deixou de comparecer à exibição da grande sensação no Festival de Cannes de 1982. As sequências lentas e angustiantes do filme – com a câmera captando tudo em planos semifechados – criaram enorme expectativa entre os espectadores. Foi um espanto quando a tela do cinema se abriu para a cena em que, sem efeitos especiais, um barco de quatro andares e trinta metros de comprimento é empurrado morro acima por centenas de figurantes. O público, embasbacado, levanta-se para aplaudir a ousadia do diretor, o alemão Werner Herzog, que levaria para casa a estatueta de melhor diretor pela realização de *Fitzcarraldo*. Mencionei o fato de Mick não estar com Herzog naquele momento de triunfo porque durante quatro meses o vocalista dos Stones esteve envolvido na produção do longa-metragem, uma epopeia de dificuldades poucas vezes vista na história do cinema.

Os dois se conheceram nos anos 1970 por intermédio de uma amiga comum, e em 1980, Herzog procurou Mick para atuar no filme inspirado no magnata Carlos Fitzcarrald, o rei da borracha peruano. Fitzcarrald era um homem dado a grandes façanhas, entre elas a proeza descrita no filme: transportar um enorme navio fora d'água por onze quilômetros, a distância que separava os rios Ucayli e Madre de Dios. No trajeto havia um morro de quase quinhentos metros de altura. Para garantir o máximo de realismo nas cenas, o destemido diretor recusou-se a usar qualquer tipo de efeito especial. O navio transpôs a colina puxado e empurrado apenas pela força física dos atores e figurantes, sem o uso de máquinas, o que se tornou um feito monumental. A 20th Century Fox não consentiu a extravagância e rompeu o contrato, ficando o filme sob a inteira responsabilidade do diretor.

"As condições de trabalho eram muito duras", narrou o biógrafo Philip Norman, "com apenas o mais básico alojamento e ligações telefônicas não confiáveis para o mundo exterior; o pacote de obstáculos incluía calor incessante, ameaça de animais selvagens e insetos venenosos, além de uma tribo nômade que declarou guerra ao grupo de produção, matando um de seus funcionários peruanos e ferindo vários outros."[26]

Em situações como essa, o velho bordão "haja entusiasmo!" deixa de ser um clichê para se transformar em uma necessidade real e concreta. O comprometimento com o filme fez Mick suportar tudo sem perder o entusiasmo. "Como nas duas vezes anteriores em que se comprometera com um filme, Mick transformou-se num instante de astro do rock em simples membro de uma equipe, dando-se bem com todo mundo, tanto atores quanto operários da produção, nunca reclamando das imensas dificuldades relacionados àquela dura experiência", contou Norman. Mick tinha um carro à disposição, que usava principalmente para dar carona a outros membros da produção. O cantor aguentou firme durante meses na selva.

Com metade do filme já pronto, o ator principal, Jason Robards, teve uma grave disenteria e recebeu ordens médicas de não voltar ao *set*. Herzog levou tempo para superar a crise e, com isso, Mick também teve de ir embora para o início de uma nova turnê dos Rolling Stones. Em vez de substituí-lo, Herzog tirou seu personagem do roteiro, e o filme foi todo refeito, com Klaus Kinski como protagonista. "A perda de Mick", Herzog recordou mais tarde, "foi a maior que já experimentei como diretor de cinema."

Mesmo com as circunstâncias que não permitiram a Mick ir até o fim das filmagens, o episódio, entre muitos outros, comprova o quanto a busca pelo entusiasmo é fundamental na longa carreira do vocalista. Anos depois, ao fim de uma extensa excursão por vários países que arrecadou 665 milhões de dólares, Mick observou em uma entrevista: "Ou você continua se movimentando, ou você morre".[27]

Este movimento persistente – dia a pós dia, ano após ano – em busca dos objetivos torna-se possível quando dispomos do entusiasmo necessário. Por isso a pergunta: o entusiasmo pode ser adquirido? A resposta é "sim, pode", e cada minuto investido na busca por adquiri-lo será de imensa valia para nossa vida e carreira.

"O entusiasmo", disse Napoleon Hill, "é o mais importante combustível para a busca do sucesso pessoal, tanto quanto o combustível é importante para o motor do carro funcionar."

Enquanto o mundo inteiro vagava
Nós andávamos em linha reta
Enquanto todos os nossos amigos hesitavam
Nós seguíamos tentando[*]

[*] "While the whole world/ Was wandering/ We walked a steady line/ When all our friends/ Were wavering/ We kept on trying", "Always Suffering", *Bridges to Babylon* (1997).

OBJETIVO BEM DEFINIDO

"Seja vossa mercê servido, meu estimado mestre Dom Quixote, de me dar logo de uma vez o governo da ilha que nesta rigorosa e acirrada batalha há de teres ganho, que, por grande que esta ilha seja, sinto-me com forças para a conseguir governar, tal e tão bem como qualquer um que tenha governado ilhas neste mundo."

"Te adverti, Sancho amigo", respondeu Dom Quixote, "que esta aventura, e outras semelhantes a esta, não são ainda aventuras em que se conquistem ilhas e terras, senão só entreveros e caos em que não ganhamos outra coisa senão cabeça quebrada ou orelhas machucadas. Por isso, tende paciência, amigo, pois não nos faltarão aventuras em que eu não somente vos possa fazer governador, mas alguma coisa ainda mais. Tendo Dom Quixote dito isto, agradeceu-lhe muito Sancho e, beijando-lhe outra vez a mão e a orla da cota de armas, o ajudou a subir no trôpego Rocinante.

Todos os leitores do clássico de Cervantes percebem logo de início que não faltava a Dom Quixote um objetivo rigorosamente bem definido quando decidiu sair de seu vilarejo em busca de aventuras. Ele sabia bem o que queria alcançar e pensava saber exatamente o que fazer para conseguir. O objetivo era conquistar para si uma honra maior do que todos os grandes cavaleiros dos quais ouvia falar nos livros que lia.

O primeiro passo de Dom Quixote foi fazer de si mesmo representante de antigas ordens de cavalaria em uma cerimônia improvisada, hilariante e inválida, para logo após sair conquistando terras e ilhas, fazendo coisas maiores e mais incríveis do que aquelas feitas por seus ídolos. Ocorre que tais ordens de cavalaria já não existiam há séculos, e seus ídolos de Quixote, que ele julgava serem valentes cavaleiros de carne e osso, eram personagens fictícios. No entanto, ele arrastou atrás de si nesta miragem um simplório aldeão que deixou a família por acreditar no altíssimo objetivo de seu amo, sem perceber que tal meta era inalcançável, uma vez que era irreal. O simplório Sancho Pança apoiou-se no fato de Dom Quixote apontar um caminho e um futuro glorioso: fazer dele, Sancho, até ali uma alma vivente sem perspectivas, governador de alguma das ilhas ou terras que seriam conquistadas durante aquelas aventuras.

Como conseguiriam isso? Simples: montando em suas cavalgaduras e galopando por toda Espanha, torcendo para que tudo saísse da forma desejada; como um mero "cerca trova", só que sem mapa e planos. Ou, como descreveu o compositor mineiro Beto Guedes em "A página do relâmpago elétrico", "prosseguir viagem numa garrafa, onde o mar levar".

Mas será que conseguiram? Claro que não. Sabemos que a boa sorte às vezes ajuda em algumas situações da vida, mas não dá para contar com ela para alcançar altos objetivos. O cavaleiro andante e seu leal escudeiro não tinham nenhum planejamento.

Aqui temos uma das condições essenciais para que o líder seja ouvido, acatado e seguido: qualquer que seja o objetivo definido por ele, precisa ser alcançável, os liderados precisam conhecer claramente tal objetivo, e o líder precisa saber como alcançá-lo. Ainda que dizer isso pareça ser chover no molhado, a equipe precisa estar continuamente segura de que o líder sabe para onde está indo.

"Señor, señor, você sabe para onde estamos indo? (...) Por quanto tempo ainda vamos cavalgar?", pergunta insistentemente Bob Dylan em "Señor (Tales of Yankee Power)".* A pergunta sobre o destino precisa estar cristalinamente respondida na cabeça dos liderados. É sempre bom lembrar que só é possível saber como alcançar algum ponto de chegada se o líder souber para onde está indo.

"Morremos como cavalheiros. Acho que isso mostrará que o espírito de garra e a força da resistência não desapareceram da raça humana." Estas foram as últimas palavras escritas no diário de Robert Falcon Scott, oficial da marinha britânica cujo objetivo era chegar ao polo sul. Scott tinha um objetivo bem definido – e sua expedição de fato chegou ao polo sul em 17 de janeiro de 1912. Contudo, há atividades que não toleram falhas no planejamento. Neste caso, quaisquer imprevistos poderiam resultar em morte, o que de fato aconteceu: Scott e dois acompanhantes pereceram no caminho de volta.

A prova de que um melhor planejamento poderia ter evitado o desastre foi que menos de cinco semanas antes, em 14 de dezembro de 1911, o explorador norueguês Roald Amundsen e sua equipe haviam

---

* "Señor, señor/ Do you know where we're headin'? (...) How long are we gonna be ridin'?", do álbum *Street-Legal* (1978).

sido os primeiros a chegar ao polo. O planejamento cuidadoso do norueguês fez diferença.

Ter objetivos bem específicos e um plano para alcançá-los pode parecer tão evidente que nem deveria ser necessário mencionar, não é? No entanto, se perguntarmos para dez pessoas – ainda que ocupem postos gerenciais ou se vejam como líderes – "qual o seu objetivo bem definido?", teremos uma grande chance de ouvir de todas elas apenas sinceras platitudes como "quero formar uma boa família", "quero ser feliz e bem-sucedido" e coisas assim. São objetivos nobres, é claro, mas quase sempre vagos, quimeras sem substância concreta.

Percebendo que isso acontecia até mesmo entre seus alunos, em tese as pessoas mais bem preparadas do país, em 1979 a universidade de Harvard fez uma pesquisa com a seguinte pergunta para os formandos: **"Você estabeleceu objetivos bem definidos para o seu futuro e fez planos para concretizá-los?"**. Verificou-se que apenas 3% tinham um objetivo bem definido.

Dez anos depois, em 1989, os pesquisadores entrevistaram as mesmas pessoas. Os 3% que tinham metas claras estavam ganhando em média dez vezes mais do que os outros 97% cujos objetivos eram vagos. Ficou muito claro para os pesquisadores que quem tinha clareza de onde queria chegar concentrava melhor suas energias, alcançando os objetivos.[28]

Podemos ver isso claramente na configuração de comando e liderança dos Rolling Stones. Já vimos algumas diferenças entre Brian Jones e Mick Jagger. O primeiro gostava de estar na banda, mas era um empreendimento que parecia ocupar apenas uma pequena parte de suas aspirações. Para quem os via de fora, os Stones pareciam apenas um bando de rapazes querendo fazer mais um disco de rock. Havia um pulso de liderança para que o grupo permanecesse unido em busca de objetivos imediatos: compor boas canções, fazer ótimos shows e lançar discos bons e vendáveis. No entanto, havia algo mais. Internamente havia um norte, um objetivo bem definido que os impulsionava, uma meta estabelecida que os instigava pelo sentimento de glória íntima e pessoal que teriam ao alcançá-la.

No documentário *Keith Richards: Under the Influence*, o guitarrista afirmou que, nos primeiros anos do grupo, muito mais do que ter uma banda de rock, o objetivo ao qual os Stones se entregavam com maior intensidade era o de popularizar o blues na Inglaterra.[29] "Foi com os Rolling Stones", disse Willi Winkler, um dos biógrafos da banda, "que o blues chegou com tudo na Inglaterra e de lá para o mundo todo".[30] Pode parecer um objetivo bem exótico, pois pode haver coisas mais importantes e imperiosas para alcançar na vida. Mas aqueles rapazotes recém-saídos da adolescência viam como missão de vida tornar seus ídolos do blues conhecidos na Europa. "Éramos garotos, nossas gravações de blues eram por amor. Cantar blues era como fazer uma pregação", disse Mick Jagger em reportagem para a *Rolling Stone* recentemente.[31]

Assim que tiveram oportunidade, os Stones cruzaram o Atlântico em direção a Chicago, nos Estados Unidos, para gravar algumas canções no estúdio onde Muddy Waters, seu ídolo máximo, havia gravado alguns de seus discos. Em 1965, quando foram convidados para apresentarem-se no *Shindig!*, programa de TV dedicado à música pop nos Estados Unidos, forçaram os produtores a levar o guitarrista Howlin' Wolf, lendário *bluesman*, para se apresentar junto com eles.

Foi a única vez que um músico de blues se apresentou no programa. Buddy Guy, um dos mais importantes guitarristas de blues de todos os tempos, disse que os Rolling Stones "colocaram o blues aonde nós não tínhamos acesso. Eles simplesmente fizeram com que o mundo inteiro soubesse quem éramos".[32]

O empenho dos Stones foi essencial para que em poucos anos a Inglaterra se tornasse um celeiro de grandes bandas influenciadas pelo blues norte-americano, e estas bandas, em um processo de retroalimentação, depois influenciaram o rock norte-americano. Rolling Stones e Beatles, seguidos de Yardbirds, Led Zeppelin, The Who, Eric Clapton e Animals, foram protagonistas daquilo que as revistas musicais chamaram de A Invasão Britânica.

A meta dos Stones poderia parecer desimportante, mas era essencial. Além de trazer grande satisfação à banda, a popularização do blues e do rhythm and blues criou um mercado consumidor de suas composições. O objetivo foi plenamente alcançado e comprova aquilo que Napoleon Hill constatou em sua pesquisa: uma das coisas mais comuns entre as pessoas de sucesso é o fato de terem um objetivo bem definido.

Ao conversar em um grupo de estudos sobre a energia injetada em nós quando temos uma meta, um dos participantes usou como exemplo uma cena do filme *Quem quer ser um milionário*. O personagem Jamal, um garoto de uns 10 anos, está em casinhola que serve de banheiro enquanto aguarda a chegada do helicóptero que transporta seu ídolo de filmes de ação. O irmão de Jamal o deixa trancado de propósito dentro do banheiro; quando vê o helicóptero chegando, o garoto tira do bolso a foto do ídolo, ergue-a para protegê-la e se joga dentro da fossa, pois era o único caminho para seu objetivo –pegar um autógrafo do ídolo.

Podemos fazer um exercício mental imaginando que tipo de obstáculo nos faria desistir caso tivéssemos um objetivo tão ardente. Seja na ficção ou na vida real, as pessoas fazem os esforços mais extravagantes em direção a suas metas. Quando conseguimos combinar esse ímpeto – desejo sincero, nervos, coração e fôlego – com planejamento para alcançar uma meta mais elevada, ela se torna plenamente possível, seja do tamanho que for. Nos passos largos e firmes em direção à meta, nossa mente fica tão instigada e direta quanto a água que corre em seu curso e que, por sua natureza maleável, segue se ajustando e procurando uma trilha por onde fluir.

Objetivo definido é a fusão, em uma só energia e figura, da ideia de uma meta alcançável e do preço a pagar por sua concretização. A pessoa tem uma meta quando sabe em qual rumo tem de ir para se tornar aquilo que ambiciona ser e está decidida a seguir nessa direção.[33]

Sem objetivo, somos como plantas com raízes soltas: prontos para cair com qualquer ventinho. Seja qual for o tamanho do objetivo, deve-se combinar ímpeto e planejamento, ajudando-nos a ter foco para se concentrar e alcançar. O objetivo atrai como um ímã e coordena nossas ações como um alvo para onde lançamos nossas energias. O desejo profundo e elevado convoca em nós a potência da vontade. Imantados dessa aspiração, veremos multiplicar nossa capacidade de suportar todo tipo de intempéries. O desejo de ver a meta alcançada injeta mais dinamismo e nos reergue depois de cada pequeno tombo. O objetivo definido funciona como uma semente de juventude em nosso ânimo diário, pois nele há um poder coordenador mirando o futuro.

A energia da meta também ajuda a evitar a procrastinação, inimiga mortal de quem quer triunfar. Sorrateira, a procrastinação rouba-nos o ímpeto. É sob sua nefasta influência que se usam algumas das desculpas mais comuns repetidas em qualquer idioma, aquelas bem conhecidas, do tipo "vou começar a fazer isso na segunda-feira", ou "ano que vem começo isso". Todos nós já praticamos o famigerado empurrar com a barriga alguma vez. Mas, quando definimos um objetivo claro, a procrastinação perde o poder sobre nós.

Quando os pesquisadores de Harvard entrevistaram os formandos no estudo mencionado acima, todos responderam que queriam alguma coisa. Mas foram os 3% com objetivos definidos que anos depois estavam ganhando em média dez vezes mais que os outros 93%. Eles tinham critérios claros a respeito daquilo que queriam para si, e "o critério de um homem gera o seu destino, e o que é externo atrai para si o que é do interior", conforme diz Enobarbo na peça *Antônio e Cleópatra*, de Shakespeare. É pela força do objetivo que transcendemos a letargia da subjetividade para despertar num mundo de realidades objetivas. Sem a clareza sobre o que de fato almejamos, a alma ficará presa a paixões corriqueiras, querendo sempre algo que lhe preencha o vazio imediato, levando-nos a um ciclo interminável de buscas insatisfatórias.

Só depois de ter um propósito claro é que começamos a nos comportar como pessoas realmente maduras. Sem um objetivo bem definido não temos a força necessária para eventuais sacrifícios de nossos prazeres em prol de um valor maior e de alcançar a nossa plena estatura possível.

Talvez você pergunte: "Os integrantes dos Rolling Stones alcançaram o objetivo inicial há décadas. E depois?". Depois veio outro objetivo. E depois mais outro. A outra opção é morrer antes do tempo. Bem antes dos trinta anos Mick Jagger já era um rei absoluto no planeta música, mas é fácil perceber em suas declarações públicas e nas reportagens sobre seu estilo de vida que ele está muito longe de se acomodar. Como líder de seu negócio, Jagger sabe que, sem metas renovadas, o espírito do homem se torna como um barco à deriva.

Não sabemos se Mick Jagger foi uma das mais de cem milhões de pessoas que leram as pesquisas citadas no prólogo deste livro, mas é certo que ele leva a sério o exercício de cada uma das habilidades ali listadas.

E quanto a nós? Temos clareza sobre qual é o nosso objetivo?

Você não consegue sempre o que quer
Mas se tentar algumas vezes pode descobrir
*Que consegue o que precisa**

---

* "You can't always get what you want/ But if you try sometimes you just might find/ You get what you need", "You Can't Always Get What You Want", *Let It Bleed* (1969).

6

LIDAR COM O FRACASSO

Outubro de 1415. Uma batalha entre França e Inglaterra. Entra um mensageiro do exército francês, o soldado Mountjoy, e dá-se o seguinte diálogo com o rei inglês:

Mountjoy: Venho a ti, nobre rei Henrique, para saber se estás disposto a conversar acerca da tua rendição e resgate antes de tua derrota que já é certa. Tão perto te encontras do fracasso que serás por nós arrastado fatalmente! Ademais, nossos comandantes desejam que teus soldados se arrependam de tê-lo seguido nessa guerra e que possam retirar-se pacificamente destes campos de morte.

Rei Henrique: E da parte de quem tu vens a mim com este vitupério, ó biltre insolente?

Mountjoy: Venho da parte do rei da França!

Rei Henrique: Então retorna com minha resposta! Diga a ele que primeiro consiga me liquidar para só então tentar vender meus ossos! O homem que primeiro vende a pele do leão sem ainda tê-lo caçado certamente perecerá na vergonha.

Este fracasso, sofrido aqui neste campo, nos tem deixado em trapos, mas olha tu mesmo os brios desses soldados ingleses: não arredarão daqui enquanto tivermos um só dedo de chance no combate! Então diz ao teu rei que agora nós existimos apenas para lutar esta batalha!

O diálogo acima, ambientado na batalha de Azincourt, é um dos grandes momentos dramáticos de *A vida do rei Henrique V*, de Shakespeare. Naquele momento, todas as probabilidades apontam para a derrota final do exército inglês, liderado no *front* pelo impetuoso Henrique V. Era um tempo em que alguns generais e reis iam com seus exércitos para dentro do campo de batalha e desembainhavam a espada junto com seus soldados. Os ingleses, mesmo que fisicamente alquebrados pela árdua campanha de meses em más condições, espelharam o estado de espírito do líder e fizeram o esforço extra. A possibilidade da derrota final, em vez de deixá-los moralmente esmagados, tornou-os mais eficazes na luta e ao fim saíram vitoriosos de uma batalha que aos olhos de todos parecia perdida. É desse material bruto forjado nas horas mais quentes que saem os líderes mais bem preparados.

As batalhas travadas por Mick Jagger e os Rolling Stones não foram sangrentas, mas algumas seriam duras e pesadas o suficiente para esmagá-los, caso não tivessem a habilidade de lidar com o fracasso. A primeira fita com algumas canções da banda foi enviada para a gravadora EMI, sendo devolvida sem um mísero comentário. Da poderosa gravadora britânica Decca receberam um retorno: "Boa banda", dizia a carta, "mas vocês precisam trocar de vocalista. Nunca vão chegar a lugar nenhum com esse cantor."

Estes foram apenas alguns dos enfrentamentos dos quais saíram muito por baixo, sentindo a sombra do fracasso inicial que costuma emperrar os primeiros passos de qualquer empreendimento. Mas 1967 seria o ano que ficaria marcado por grilhões de ferro na memória do vocalista dos Stones. Mick Jagger era cioso de sua imagem, ainda em construção, mas antes de qualquer coisa era um rapaz de 23 anos para quem a opinião dos pais, Basil e Eva Jagger, era muito importante, o que fazia com que tentasse ficar longe de problemas. Só que agora ele estava rodeado de todos os benefícios e armadilhas da fama, e esta começava a cobrar o seu alto preço.

Enquanto boa parte de seus amigos havia caído no erro de experimentar entorpecentes, ele resistia. Preservou-se o quanto pôde até deixar-se cair na cilada e, durante o pouco tempo em que se permitiu cativar pelo hábito nocivo, passou aquele que seria, nas palavras de Philip Norman, seu biógrafo mais famoso, "o mais memorável e horripilante ano da vida de Mick Jagger, não obstante o que ele diga a respeito".[34]

Os incômodos haviam começado meses antes com uma foto de Brian Jones fantasiado de nazista na capa de uma revista alemã. O terremoto de críticas causou um intenso mal-estar para todos os membros da banda. As explicações e justificativas não surtiram efeito. Nenhum dos Stones jamais nutriu simpatia por qualquer regime ditatorial ou violento; Brian Jones, como qualquer britânico de seu tempo, tinha aversão ao nazismo. A repercussão causou prejuízos e muitos embaraços, trazendo uma pesada nuvem que prenunciava frustrações maiores e de tal peso que poderiam pôr em risco a sobrevivência da banda.

Outro acontecimento desgastante se deu quando os Stones foram convidados para participar de um dos programas mais populares da TV inglesa, o *Sunday Night at London Palladium*. Pouco antes de a atração ir ao ar, ao vivo, os produtores pediram que, no encerramento do programa, a banda se juntasse às outras atrações no palco para se despedir do público. Os Stones se recusaram, e num ímpeto demasiadamente juvenil, Mick disse que aquilo parecia "um circo desnecessário".[35]

É bem fácil pensar que a atitude foi errada e arrogante. Talvez tenha sido. Os membros da banda tinham pouco mais de vinte anos e queriam se sentir independentes do sistema, embora soubessem que precisavam daqueles programas para se tornarem populares. Talvez por isso mesmo desafiassem o sistema sempre que podiam. Mas a rebeldia, ou a tal independência, às vezes cobra um preço bem alto.

A atitude dos Stones foi considerada desnecessariamente áspera e petulante. Não demorou para que alguns veículos de comunicação colocassem a banda sob ataque, culminando com a ocorrência angustiante que viria em seguida e que poderia levar os Rolling Stones a se desintegrar – ou ficar mais fortes. Tudo dependeria de como Mick, Keith, Brian, Bill e Charlie lidassem com a frustração que se abateria sobre eles. A causa principal da formação da pesada nuvem do sentimento de fracasso foi o erro de Mick em ceder à curiosidade de experimentar estimulantes proibidos.

A juventude da época agitava-se aos ventos de uma mudança radical nos costumes, mas junto com benefícios concretos vieram práticas e hábitos que cedo mostraram seus efeitos deletérios. Mick havia se mantido por bastante tempo a uma distância segura dos aditivos químicos até ceder ao convite de uma amiga em uma festa.[36] Depois disso, fez uso ainda várias outras vezes, mas Philip Norman conta que, embora ele tenha se descuidado ao experimentar tais coisas durante aquele curto período, nunca se excedeu ou perdeu um só pingo de seu precioso autocontrole. Um comentário de Mick deixa transparecer que naquelas circunstâncias ele se sentiu como um homem apanhado pela roupa nas rodas de uma engrenagem, sendo tragado pela máquina. Manifestou sua inquietação em uma conversa com um amigo, o influente negociante de artes Robert Fraser, uma figura importante na cena cultural de Londres nas décadas de 1960 e 1970 e amigo pessoal dos Beatles e dos Rolling Stones.

O envolvimento de artistas do rock com drogas sempre foi tema do jornalismo, repleto de histórias de ótimas bandas que se esfacelaram sob o peso desse problema. Jovens talentosos e promissores em busca de transcendência experimentavam tudo o que pudesse levá-los a atravessar as portas da percepção. Em algum lugar alguém escreveu que todo o excesso é esclarecedor. No entanto, baseado em bastante observação, penso que o que chamam de esclarecedor nesse caso é a sensação – ênfase em sensação – de iluminação e grande percepção que uma ou outra droga dá ao usuário; ou, nas palavras do Renato Russo, "parece energia, mas é só distorção". Para os músicos de rock, esse canto de sereia pareceu irresistível.

Foi nesse contexto que Mick se deixou equivocadamente levar pela experimentação. Pode-se deduzir, pelas falas e atitudes na época, que a preocupação dele era saber que aquela era uma onda muito perigosa, potencialmente mortal e às vezes mutilante do ponto de vista moral. Além disso, o vocalista percebera que alguns jornais fariam o possível para pegá-lo em flagrante e expô-lo em represália ao episódio do *Sunday Night*. O receio materializou-se em uma reportagem no tabloide sensacionalista *News of the World*. A matéria era uma suposta entrevista de Mick a dois repórteres assumindo que havia feito uso de drogas. Posteriormente foi comprovado que a entrevista nunca aconteceu. Mick aconselhou-se com advogados sobre a possibilidade de processar o jornal, mas recuou ao perceber que seria prejudicial a todos.

A notícia falsa fez desabar sobre os Stones uma campanha difamatória que colaborou para a polícia acelerar a caça aos rebeldes, resultando na prisão de Mick e Keith. O fracasso vestiu sua máscara mais terrificante para amedrontá-los, trazendo o presságio dos dias de tormenta que viriam. "Levei todas as pancadas", cantaria ele tempos depois em "Soul Survivor".

A prisão de um astro mundial do rock por uso de drogas pode parecer risível hoje, mas é importante lembrar o impacto disso cinquenta anos atrás na Inglaterra. Era um assassinato de reputação. Os músicos ficaram tão malvistos perante a opinião pública que um tempo depois de sair da prisão, ao chegar de uma viagem sem ter feito preparativos para serem pegos de carro por algum amigo, precisaram pegar um táxi, e os dois primeiros motoristas que abordaram se recusaram a transportá-los.[37]

O peso das penas impostas aos músicos – um ano em regime fechado para Keith e três meses para Mick – foi visto por muitos como desproporcional. A dupla estava sob uma tempestade de facas afiadas;

a poderosa mandíbula da realidade fechava-se ameaçadoramente sobre eles. Os dois foram julgados após serem flagrados numa batida policial na casa do guitarrista durante uma festa. O juiz condenou Keith Richards por permitir o uso de sua residência para ato ilícito, e Mick Jagger por estar de posse de quatro comprimidos de benzedrina. A sentença foi uma surpresa até mesmo para os policiais que haviam efetuado a prisão.

Muitos disseram que o juiz foi excessivamente duro por ter visto a oportunidade de mandar uma mensagem a todos que porventura viessem a cair naquele erro. Seja qual tenha sido a motivação, o fato é que Mick e Keith saíram algemados do julgamento diretamente para a cadeia, escoltados por vários policiais. Mick foi para a Brixton Prison, e Keith, para Wormwood Scrubs. Deixaram seus pertences pessoais na portaria, trocaram suas roupas por macacões com números – o de Mick era 7.856 – e foram para trás das grades sem nenhum tipo de privilégio ou leniência.

As sentenças foram revogadas dias depois em parte pela intervenção do editor do influente *The Times*. William Rees-Mogg criticou em editorial a parcialidade do julgamento, argumentando que os acusados não teriam recebido sentenças daquele tipo se fossem pessoas anônimas.

A prisão expôs a banda ao ódio, ao ridículo e ao desprezo, levando Mick a lamentar-se muito na época. A cantora e atriz Marianne Faithfull contou em sua biografia que, ao visitar o astro na prisão, encontrou-o devastado, esperneando contra a extrema aflição que sentia. "Não consigo pensar em nada, isso tudo está sendo um pesadelo", teria dito Mick conforme um de seus biógrafos. Naquela hora desoladora, o artista autoconfiante sentia suas "pernas muito fracas para o peso da alma".[38]

A angústia daqueles dias talvez tenha contribuído para o período mais frutífero na história da banda. Em meio àquele atordoamento, os Stones gravaram a melhor sequência de álbuns da carreira, os clássicos *Beggars Banquet, Let it Bleed, Sticky Fingers* e *Exile on Main St.* Foi como se o fracasso produzisse o milagre da beleza. Diante disso é de se pensar que as dores e as agonias da vida seriam muito mais apreciadas se todos conseguissem exprimi-las dessa maneira. Talvez não concordemos inteiramente com o escritor do Eclesiastes quando diz que é melhor um tempo de angústias na casa enlutada do que o excesso de riso na casa de festa porque a melancolia no rosto torna melhor e mais sábio o coração,[39] mas com uma coisa particularmente eu concordo: todos os que aprendem a lidar bem com o fracasso acabam tirando lições mais preciosas dos tempos de angústia do que dos tempos de riso.

Para Mick Jagger, os dias na cadeia trouxeram a culminância dos desprazeres daquela terrível fase. A despeito de seus justificados lamentos iniciais, ele reagiria como reagem as pessoas que têm objetivos claros e sólidos a alcançar; ao deixar a prisão, já era o mesmo profissional responsável procurando onde havia deixado o fio da meada. Firme da cabeça aos pés, inabalável como mármore,[40] voltou à rotina de trabalho, sentindo talvez que dali em diante houvesse um futuro ainda mais brilhante do que antes. O tempo comprovaria isso.

Os dias de lamentação, remorso e arrependimentos vieram e se foram, deixando apenas o aprendizado. O período durou o tempo necessário para ensinar o que era preciso, pois é sabido que não há forma mais eficaz de lidar com o fracasso do que aproveitá-lo, aprendendo com ele. "Sem sofrer só vejo histórias mal contadas", diz o compositor e cantor cearense Jorge Mello na canção "Claramente". Para quem desenvolve a competência emocional de aprender com o fracasso, a força aparentemente negativa dos sofrimentos e dificuldades produz uma estranha alquimia no espírito: em vez de desânimo, coragem; em vez de desencorajamento, perseverança; em vez de medo, audácia e arrojo.

Quando deparamos com forças contrárias na caminhada rumo ao objetivo, em alguma medida estes contratempos nos colocarão em conflito interno, algo como coração *versus* mente. Esta luta se dá quando questionamos se vale a pena tanto esforço para chegar aonde queremos. Mas a vida vitoriosa é feita deste conflito: não é possível vencer com todos os problemas resolvidos de antemão, sem as dúvidas e angústias inerentes à caminhada.

Já ouvi pessoas inteligentes dizendo que bom mesmo é aprender com o fracasso dos outros. Talvez estejam certas. No entanto, penso que há coisas que só podemos aprender e inteligir com a experiência da coisa vivida. Não quero dizer com isso que seja necessário ter montes de experiências negativas, mas nossa vida seria bem água com açúcar caso ficássemos o tempo todo completamente protegidos pela inação, apenas observando, aprendendo somente com os erros dos outros em vez de arriscar e ter o gosto da vitória ou eventualmente quebrar a cara.

Quando fazia o esboço deste capítulo, conversei com um amigo sobre a imediata reação melancólica de Mick ao ser condenado à prisão. Ele questionou o fato de o vocalista lamentar-se e se entristecer tão profundamente: "Isso não seria um sinal de que Mick não era tão resistente assim? Se fosse, não ficaria tão acabrunhado". Meu amigo equivocou-se: a resistência diante do fracasso não significa necessariamente passar por ele sorrindo de forma despreocupada, pois é sabido que há tempo de chorar e tempo de rir.

Outros nomes importantes da cultura pop fizeram um esquete muito revelador de como algumas pessoas lidam com as dificuldades. O quadro mostra quatro amigos batendo papo depois de passar por todo tipo de fracasso pessoal. Por ser esta habilidade uma capacidade emocional tão valorizada, alguns podem eventualmente desfigurá-la com exageros, tornando risível o que é sublime. Transcrevo aqui o esquete do grupo britânico Monty Python, apresentado ao vivo no palco do Hollywood Bowl:

> Amigo 1: Ah, bem passável, bem passável esse aqui.
>
> Amigo 2: Nada como um bom vinho Château de Chassilier, não é mesmo, Josiah?
>
> Amigo 3: Você está certo, Obediah.
>
> Amigo 4: Quem de nós pensaria, trinta anos atrás, que estaríamos aqui bebendo Château de Chassilier.
>
> Amigo 1: Pois é. Naquele tempo ficávamos gratos por ter dinheiro para uma xícara de chá.
>
> Amigo 2: Uma xícara de chá gelado.
>
> Amigo 4: Sem leite ou açúcar.
>
> Amigo 3: Ou chá!
>
> Amigo 1: Numa xícara quebrada.

Amigo 4: Nem tínhamos xícara. Bebíamos num jornal enrolado!

Amigo 2: O máximo que conseguíamos era sugar um pedaço de pano molhado.

Amigo 3: Mas sabe, éramos felizes naquele tempo, embora fôssemos pobres.

Amigo 1: Sim. Porque éramos pobres. Eu, velho pai, costumava dizer: "Dinheiro não compra felicidade".

Amigo 4: Ele estava certo. Eu era mais feliz quando não tinha nada. Morávamos naquela casinha velha, com enormes buracos no telhado.

Amigo 2: Casa? Vocês tinham sorte em ter uma casa! Nós todos morávamos em uma peça, 26 pessoas, sem mobília. Faltava metade do assoalho e nos amontoávamos em um canto com medo de cair!

Amigo 3: Vocês tinham sorte em ter uma peça! Nós morávamos em um corredor!

Amigo 1: Ohhhh, nós sonhávamos em morar num corredor! Teria sido um palácio para nós. Morávamos em um velho tanque de água gelado em um depósito de lixo. Acordávamos todas as manhãs com um monte de peixe podre despejado em cima da gente! Casa? Humpf.

Amigo 4: Bem, quando digo "casa" era apenas um buraco no chão coberto por uma lona, era uma casa para nós.

Amigo 2: Nós fomos despejados do nosso buraco no chão; tivemos que ir viver em um lago!

Amigo 3: Vocês tiveram sorte de ter um lago! Nós éramos 150 morando numa caixa de papelão no meio da estrada.

Amigo 1: Caixa de papelão?

Amigo 3: É.

Amigo 1: Sorte de vocês. Nós moramos três meses dentro de um caso de papel em uma fossa séptica.

Os quatro amigos passaram algum tempo mais ali, cada qual aumentando o tamanho de seu antigo fracasso, com isso lustrando com ainda maior beleza o sucesso presente. Tal tipo de conversa, guardadas as proporções e os exageros do humor, não é muito incomum.

Mick Jagger lidou com o fracasso sabendo que não teria sucesso caso desse atenção excessiva àqueles males transitórios que cruzavam seu caminho com certa regularidade. Lamentar-se, sentir a pancada do fracasso, ficar triste e sorumbático por algum tempo por causa das cacetadas da vida não significa lidar mal com os reveses. Significa apenas lidar com as coisas a seu modo. Uns conseguem lidar com os infortúnios com mais leveza, outros de forma um pouco mais dramática. O que importa é lidar com a situação e tirar dela as lições e os benefícios. São nos infortúnios que aprendemos a habilidade de resistir à pressão das situações adversas sem perder o controle emocional.

Bem, o pobre menino gastou tudo que tinha,

espalhou fome pela terra (...)

O menino ficou lá, baixou a cabeça e chorou

*Porque isso não é jeito de conviver**

* "Well poor boy spent all he had, famine come in the land/ (...) Boy stood there and hung his head and cried/ Cause that is no way to get along", "Prodigal Son", *Beggars Banquet* (1968).

HÁBITO DA ECONOMIA

O protagonista do filme *A vida de Brian* anda apressado entre as barracas tentando despistar os soldados romanos que estão em seu encalço. Ao passar por uma tenda onde vendiam máscaras e fantasias, Brian – pensando em um disfarce para a fuga – pega uma grande barba postiça e pergunta quanto custa o produto. "Por vinte mangos ela será sua!", – informa o vendedor. "Tome aqui os vinte!", responde Brian, dando o dinheiro e já saindo.

O vendedor, que deveria ficar contente por uma venda tão rápida, segura Brian pela túnica para mostrar-lhe uma maneira de gastar menos comprando o mesmo produto. Ali se dá um dos diálogos mais engraçados – e educativos, sob certos aspectos – que já vi em filme. O comerciante mostra que Brian havia cometido um erro ao comprar algo sem antes averiguar se o preço estava justo.

A economia, sabe bem o leitor, é um assunto abrangente e demanda bastante estudo, por isso neste capítulo vamos abordar só o aspecto referido acima: o cuidado ao usar os recursos que temos à mão. Ao mencionar o vocábulo "recursos", é comum vir imediatamente à lembrança o recurso financeiro, mas o hábito da economia pode ser aplicado a todos os outros recursos que temos disponíveis. Por exemplo: quanta energia mental desperdiçamos com preocupações que no devido tempo mostraram-se sem efeito? Quanto tempo – um recurso precioso, limitado e não renovável – desperdiçamos com coisas que nada nos acrescentam? Tudo o que gastamos sem necessidade são recursos desperdiçados. Pode-se dizer que o desperdício é um desrespeito do esbanjador contra si mesmo. A história está cheia de exemplos de carreiras abortadas por causa do desejo de parecer maior usando a extravagância como caminho para alcançar uma melhor posição.

A peça *Timão de Atenas*, de Shakespeare, é uma lição contundente para jamais cairmos nesse erro. "Sabes de algum *esbanjador* que tenha sido amado depois de ter perdido tudo o que possuía?", pergunta Apemanto a Timão.

Talvez o leitor pense: "Arrã, mas vai ser difícil arrumar assunto sobre 'economizar' quando for falar de Mick Jagger. Imagina se um cara rico como ele vai se ocupar com um assunto desses!".

Na verdade, para quem acompanha a trajetória da banda há décadas, fica bem fácil discorrer sobre o tema. Ao chegar neste capítulo, lembrei da entrevista concedida a Caetano Veloso e Roberto D'Ávila em 1983, já mencionada neste livro. "Qual é, ou como é, a sua relação com o dinheiro?", perguntaram.

"É importante sempre tomar pé de como estão nossas finanças, se a conta no banco está no azul", começou Mick. "Sou contra qualquer tipo de desperdício. Jamais devemos desperdiçar, como muitos fazem. Sou contra o esbanjamento", completou, categórico. "Mick sempre mantinha as rédeas curtas sobre seus gastos", diz Christopher

Sandford em sua biografia da banda.[41] "Ele podia sentar-se para jantar", conta o amigo Ian Stewart nesta biografia, "e horas depois se lembrar de quem havia comido lagosta e quem havia comido pitu com *curry*." Pode parecer banal, mas é sempre bom lembrar que ter o controle sobre nossas finanças é, em grande medida, ter controle sobre nosso destino.

A autoindulgência pode nos convencer de que não temos uma poupança porque não sobra dinheiro. Mas, assim como tudo na vida, é questão de escolha e de hábito. Se aumentamos nosso consumo cada vez que nossa renda aumenta, dificilmente teremos segurança financeira. Não se trata de quantidade de dinheiro, trata-se de mentalidade. Todos nós sabemos o quanto é prazeroso ter acesso a bens de consumo, mas, se permitirmos que nosso bem-estar seja demasiadamente influenciado por isso, teremos boas chances de dar com os burros n'água.

Pesquisas mostram que um grande número de pessoas que se tornaram instantaneamente milionárias – com prêmio de loteria, herança e coisas do gênero – voltaram a ficar sem dinheiro em poucos anos. Isso revela objetivamente que o dinheiro não aceita desaforo. Desaforo aqui indica insolência, pouca consideração. Só podemos ser e continuar sendo donos daquilo que podemos controlar. Se não controlamos nosso desejo de consumir, significa que não controlamos nosso dinheiro e nem a nós mesmos. É fonte de problema ter a posse de algo sobre o que não temos controle. Um amigo usou uma ótima comparação quando disse que ter um carro esporte superpotente sem saber controlá-lo significa que mais dia, menos dia haverá tragédia. Não é muito diferente com nossas finanças.

Embora tenha demonstrado ser bastante mão aberta em muitas ocasiões – como atestam os muitíssimos gestos generosos jamais propagandeados, porém relatados por alguns biógrafos –, Mick não estava apenas sendo diplomático ao dizer que detestava desperdício de recursos. Um exemplo disso é que, quando fica muito tempo longe de uma de suas residências – a mansão Stargroves –, ele a disponibiliza para ser alugada. A casa é deixada exatamente como é, com todo o mobiliário, fotos de família e posses à vista do locatário. Estamos falando de alguém listado entre os dez artistas mais ricos da Inglaterra. Quem conhece Mick Jagger – pessoalmente ou por leitura de biografias – sabe que não se trata de sovinice, mas de respeito ao dinheiro que tem.

Conta-se que, antes de sair em sua quarta turnê pelos Estados Unidos, os Rolling Stones tiveram duas semanas para ensaiar. Neste período Mick e Keith ficaram hospedados na casa do amigo Stephen Stills, da banda Crosby, Stills, Nash & Young. Sam Cutler, um dos principais organizadores da turnê, ficou junto. Cutler esperava que a vida com Mick e Keith fosse de festas intermináveis, mas, para sua surpresa, ambos se comportavam "como cavalheiros ingleses em um tranquilo hotel do interior". Mick estava totalmente concentrado nas apresentações que estavam por acontecer, "um verdadeiro general do exército do rock, supervisionando cada dólar gasto".[42]

Para alcançar nosso objetivo, devemos nos esforçar para pôr em prática o hábito da economia.

Devo ter chamado por ela milhares de vezes
Às vezes penso que ela está apenas na minha imaginação[*]

---

[*] "I must have called her a thousand times/ Sometimes I think she's just in my imagination", "Anybody Seen My Baby?", *Bridges to Babylon* (1997).

8

USO ADEQUADO DA IMAGINAÇÃO

Possivelmente Mick Jagger ficou surpreso ou até contrariado quando seu amigo Billy Preston o convidou para ir a uma celebração cristã em um templo. Não que fosse avesso a tais coisas – ele gostava de cantar no coral da igreja quando era garoto –[43], mas, estando na Califórnia para alguns dias de descanso, talvez tivesse outras atividades em mente. Preston, no entanto, estava certo de que Mick gostaria de ouvir a música de James Cleveland, sacerdote que há algum tempo vinha alegrando a igreja local – e posteriormente o país inteiro –, compondo canções eletrizantes, com harmonias bem elaboradas e cantadas com um entusiasmo acima do comum.[44] Mick ficou encantado com o que ouviu e dias depois, influenciado pela audição, adicionou um coral gospel tradicional em uma música em que a banda estava trabalhando há algum tempo.

Nesta ocasião, o líder dos Rolling Stones usou uma habilidade necessária para a busca do êxito; uma das mais valorizadas pelos milhares de líderes pesquisados por Napoleon Hill: o uso ativo, contumaz e eficaz da imaginação. Esta é uma característica muito típica do vocalista. "Ele é um verdadeiro juntador de trapos, vive prestando atenção e cata tudo que acha interessante, juntando em um caldeirão imaginativo, para ver se funciona bem naquilo em que quer usar", disse Marianne Faithfull, cantora e ex-namorada do vocalista.[45]

Mick e Marianne – "um belo encontro entre dois afetos de rara intensidade e beleza", disse alguém sobre o casal – estavam juntos quando as antenas de "trapeiro da imaginação" do cantor captaram algo numa certa manhã de janeiro de 1969. Os casais Mick e Marianne e Keith Richards e Anita Pallenberg estavam de férias numa fazenda em Matão, no interior de São Paulo. Wanderley, filho adolescente de um dos funcionários da fazenda, foi levar o jornal. Mick ouviu o rapaz assoviando uma canção e pediu a ele que repetisse algumas vezes o início da melodia. Logo depois, ele e Keith deram sequência ao trecho assoviado. Foi o começo da composição que se tornaria para uma boa parcela dos fãs a mais stoneana das composições da banda: "Honky Tonk Women", gravada naquele ano.[46] Existe uma outra narrativa de que a música teria nascido nas andanças de Mick e Keith pelo pantanal mato-grossense dias depois. O fato é que, como todo líder eficaz, o cantor sabia da importância da habilidade que Hill nomeou acertadamente de uso adequado da imaginação.

A imaginação, escreveu Hill, "é como a oficina do espírito humano, onde as ideias e os fatos estabelecidos podem ser reunidos em novas combinações e empregados de novas maneiras". Líderes eficazes usam-na positivamente: procuram ver suas boas possibilidades em tudo, dando sempre preferência para manter em mente aquilo que é produtivo e saudável, descartando o que suga energia. A mente imaginativa será produtiva se conseguir se manter focada em se alimentar corretamente. Mesmo as mais exuberantes experiências pouco frutificarão quando irrigadas por uma imaginação sombria.

Nossas experiências e memórias cotidianas se encarregam de alimentar a imaginação, e é a este alimento que nosso pensamento recorre o tempo todo. Aquilo que está em nossa memória – os "trapos" juntados por Mick – é a matéria-prima disponível em nossa estrutura mental. Esta lei é chamada apropriadamente de uso adequado da imaginação porque o uso impróprio desta faculdade traz quase sempre prejuízo para nossa qualidade de vida interior.

Uma passagem marcante da peça *O mercador de Veneza*, de Shakespeare, nos dá um bom exemplo de como a imaginação negativa funciona. O personagem Salânio conversa com Antônio, um rico comerciante que está com boa parte de suas mercadorias dentro de um navio rumo a um país distante. Diz ele:

> Podeis crer que, se eu tivesse, assim como vós, tantas cargas de navio no mar, certamente minha imaginação navegaria com minhas esperanças em agonia postas nelas e a toda hora eu prestaria atenção para ver de onde sopra o vento, temeroso de perder as cargas, e me debruçaria todo o tempo sobre mapas a procurar portos e embarcadouros e rotas diversas e possíveis, sendo certo que minha imaginação me deixaria louco de ansiedade por tudo quanto me fizesse apreensivo pelo bom destino deste meu tesouro embarcado.

Nosso estado de espírito ditará a forma como usamos a imaginação. É certo que nossa atitude mental afeta diretamente a qualidade e, por conseguinte, os resultados concretos da nossa imaginação.

Sendo a imaginação a semente daquilo que será gerado no campo das ideias – para ocasionalmente tornar-se realidade concreta –, é necessário que tenhamos o cuidado de usar nossa imaginação da maneira mais adequada aos nossos objetivos.

A namorada de Mick o chamou de "juntador de trapos" por prestar atenção em tudo que pudesse colaborar na composição de boas canções que o levariam aonde queria chegar.[47] Isto nos dá uma boa direção, e ouso dizer que esta é a direção essencial a esse respeito: que nossa imaginação e memória deem guarida imediata àquilo que pode nos ajudar a chegar ao nosso objetivo bem definido; por outro lado, devemos vigiar nosso pensamento para que descarte imediatamente qualquer coisa que, caso acumulada, venha a nos desviar da meta.

Se alimentamos nosso pensamento corretamente, aumentamos muito a chance de que nossa imaginação nos impulsione em direção a nossa meta. Por outro lado, se alimentamos mal a nossa imaginação, ao manter uma atitude mental contraproducente ou derrotista, muito possivelmente colheremos os maus frutos que virão destas más sementes. Não importa se somos crédulos ou incrédulos, se cremos ou não cremos: há um benefício ou malefício equivalente para cada pensamento intensamente cultivado em nossa imaginação. Cabe a nós decidir se queremos isto ou aquilo; cabe a nós decidir com o que vamos alimentar nossa mente. Ainda que sejam trapos, que sejam bons e saudáveis e que, bem reciclados, formem coisas novas em nosso benefício.

Este é um tema em que é muito recomendável a leitura de um ou mais livros. A bibliografia sobre o assunto é imensa, e muitos autores citam Napoleon Hill por ter sido um dos primeiros a se dedicar ao tema, deixando como legado obras que se tornaram a base para muitos outros estudiosos. Foi depois do imenso sucesso de *Pense e enriqueça*, livro de psicologia aplicada que vendeu mais de 70 milhões de cópias, que Hill escreveu o excelente *Atitude Mental Positiva*, um estudo sobre o uso adequado de nossa mente. Sua leitura é particularmente recomendável, pois oferece um panorama profundo e abrangente deste elemento fundamental em todas as áreas de nossa vida. Uma mente imaginativa imbuída de atitude mental positiva nos proporciona um estado de espírito mais leve e entusiasmado.

Em boa medida Hill apenas ecoa – com mais dados e perspectivas – as recomendações escritas há quase vinte séculos por Paulo de Tarso, por um dos discípulos mais profícuos de Jesus Cristo: "Pensai nas coisas que são de cima" (Colossenses 3:2) e "Tudo o que é verdadeiro, tudo o que é honesto, tudo o que é justo, tudo o que é puro, tudo o que é amável, tudo o que é de boa fama, se há alguma virtude, e se há algum louvor, nisso pensai (Filipenses 4:8). Paulo era um erudito respeitado entre seus pares na Judeia e certamente teve um vislumbre daquilo que hoje é dado como certo: a qualidade de nossos pensamentos afeta diretamente a qualidade de todos os aspectos de nossa vida. Embora o contexto imediato pareça remeter a um aconselhamento puramente religioso, vemos também em outros textos do apóstolo que ele aconselhava os cristãos da época a manter a mente resguardada, de modo a não se deixar contaminar com pensamentos nefastos.

É fundamental estarmos cônscios dos conteúdos e das influências em nossa imaginação, pois serão determinantes em nossos resultados. Para os mais céticos, sugiro a leitura de estudos que demonstram o quanto a vibração de nossa mente/imaginação afeta os estados da matéria.[48] O cultivo da imaginação pode parecer a algumas pessoas importante apenas para a atividade artística ou para os acontecimentos lúdicos e prazerosos da vida. Mas e se tivéssemos o depoimento de alguém como o físico Albert Einstein, um dos mais importantes cientistas da história? No livro *Sobre religião cósmica e outras opiniões e aforismos*, Einstein diz: "A imaginação é mais importante que o conhecimento. O conhecimento é limitado, enquanto a imaginação abraça o mundo inteiro, estimulando o progresso, dando à luz à evolução. (...) Cultive a imaginação, pois ela é, rigorosamente falando, um fator real nos resultados da pesquisa científica".

Baseados em Einstein, poderíamos perguntar a partir de qual experiência Isaac Newton chegou à noção de espaço absoluto e tempo absoluto. O espaço absoluto é o espaço infinito em todas as direções, sem nada dentro; o tempo absoluto é a pura duração do tempo, sem fatos dentro; tais coisas são, em sua origem, uma pura construção mental, afinal, quem poderia captá-las em uma experiência real? Ninguém, nem mesmo Newton. De que forma tais coisas se apresentaram a ele, senão através da imaginação?

Napoleon Hill diz que "a imaginação é a semente primordial que dá início a todas as realizações, sejam elas pequenas, grandes ou imensas". É certo que quem busca um objetivo bem definido terá antes este objetivo imaginado intensamente em seu pensamento.

"Que pena que Walt não esteja mais aqui para ver o parque que ele idealizou com tanto empenho", disse o repórter à viúva de Walt Disney. "Meu bom amigo", respondeu ela afavelmente, "você está equivocado, pois Walt viu a Disneyland vívida e claramente em sua imaginação, e é justamente por isto que você e eu hoje podemos usufruir desse lindo lugar." Walt Disney teve a inspiração para o parque, imaginou-o em sua mente, e o objetivo foi alcançado mediante trabalho duro.

O processo de concretizar as ideias imaginadas segue sempre esse procedimento. Ao ser perguntado por Roberto d'Ávila como compunha suas músicas, Mick Jagger respondeu com algo que é voz corrente e ilustra perfeitamente o papel da imaginação na busca do sucesso pessoal e profissional. "A criação é um processo em que uma pequena fração, como uns dez por cento, meio que cai do céu, como lampejos de inspiração, e o restante todo é preenchido com a imaginação, e é um trabalho duro e eventualmente maçante."

Portanto, sejamos trapeiros, com antenas ligadas naquilo que nos acrescenta e nos edifica. E mãos à obra!

Não desperdice sua energia

Apenas respire fundo/

E construa a sua ascensão[*]

---

[*] Don't waste your energy/ (...) Just take a deep breath/ And work your way up, "Let's Work", *She's the Boss* (1985).

FOCO E CONCENTRAÇÃO

Um rapaz vem pela calçada de uma rua movimentada de Londres quando é abordado por outro que está acompanhado de uma equipe de TV. O Discovery Channel está fazendo um documentário sobre aquele que era a nova sensação mundial do ilusionismo, o ousado e criativo Dynamo, nome artístico do jovem Steven Frayne.

O mágico faz a abordagem e, depois de se apresentar, pergunta ao passante algo sobre documentos de identidade, cartões de banco e coisas assim. Diante da surpresa do rapaz, Dynamo pega seu cartão de banco, mostra-o à câmera e ao entrevistado e então pergunta seu nome. "Me chamo Ohala Ogunye."

Dynamo pede a Ogunye que foque a atenção e então, sempre bem próximo às câmeras, que pegavam cada mínimo movimento, passa o dedo levemente no cartão; de imediato aparece nele o nome Ohala Ogunye. O espanto do rapaz aumenta quando Dynamo, com um simples chacoalhão, faz aparecer também a sua assinatura no cartão e, por fim, diz a senha em seu ouvido. A seguir Dynamo pega uma pequena garrafa d'água, esvazia-a no chão, pede o celular do rapaz – que está estupefato, sem reação –, encosta o aparelho na garrafa e abracadabra: o celular vai parar dentro dela. Estes são alguns de seus truques mais símplices.

Ilusionistas profissionais têm uma resposta desconcertante quando perguntados sobre como conseguem fazer o que fazem: o elemento principal com que trabalham é a (falta de) concentração e foco do espectador. "Mágicos têm usado esses princípios psicológicos para manipular nossa percepção há séculos", afirma o professor e pesquisador Ronald Rensink. Ilusionistas e estudiosos do assunto chamam isso de *misdirection*, algo como "distração", "desorientação" ou ainda "direção errada".

Não nos importamos em ter nossa concentração ludibriada nessas situações, pois estão no campo do entretenimento. Porém, o princípio geral é o mesmo no que tange à nossa busca por um melhor desempenho em liderança. Se a capacidade de concentração e foco foi apontada como habilidade fundamental para a vida vitoriosa na época da pesquisa de Napoleon Hill, quanto mais não será hoje, com a enorme quantidade de distrações tecnológicas?

"Estamos tão atormentados pela imensidão de estímulos que acabamos nos tornando dependentes deles. Se descuidarmos, padeceremos intoxicados de informações inúteis e de pressas desnecessárias", disse o pensador e escritor Paul Valery... em 1932![49] Imagino que ele teria uma síncope se vivesse nos dias hoje, em que várias mídias descarregam torrentes de notícias o tempo todo nas nossas telinhas.

Abriram-se quantidades enormes de portas em quase todos os edifícios das ciências, trazendo muitos benefícios, mas fazendo crescer também o número de novidades inúteis, tornando curto o tempo para assimilar cada nova onda; são poucas as horas do dia para dar cabo de cada nova necessidade que até ontem nem sabíamos que existia. A alma, a "catedral interior", que deveria ser visitada apenas por desejáveis conselhos de espíritos divinais, encontra-se agora com suas paredes devassadas, como que feitas de frágil vidro onde refletem clarões e sombras confusas vindas de todos os lados, de tal modo que parece não existir mais vida interior reservada e essencialmente individual. Um passeio na montanha, um prato apetitoso na mesa, um banho de mar numa praia deserta ou qualquer coisa que deveria ser fruída com intensidade – resultando disso um maior fortalecimento interior –, agora rendem tão somente algumas fotos sorridentes no mural das redes sociais.[50]

O sinal amarelo deve começar a piscar caso estejamos destinando apenas alguns minutos por ano para perscrutar nosso silêncio interior enquanto reservamos quatro horas diárias para séries, filmes e demais entretenimentos. Todos nós sabemos que entretenimentos, quando além do conveniente, causam mais mal do que bem, pois levam o indivíduo a viver sob o domínio das sensações. Se nos habituamos à busca do deslumbre transitório, terminaremos por viver sob a ameaça do tédio e, conforme já dito muito acertadamente, a busca contumaz por novidades prazerosas conduz em última instância ao desespero.

Embora eu saiba que o leitor não precise que alguém diga tal obviedade, quero reiterar: ter concentração e foco prolongado não significa deixar de lado o justo lazer regular e revigorante.

Talvez haja alguma habilidade listada na pesquisa de Napoleon Hill que possa ser suprida por outras. Mas arrisco dizer que, se nossa capacidade de concentração estiver prejudicada, todas as nossas outras habilidades serão afetadas negativamente. Isso vale para o líder empreendedor, o empregado interessado em crescer, o aluno tentando passar de ano. E mesmo para uma serena dona de casa aposentada.

Uma das imagens mais longínquas na minha memória é de minha mãe tomando chimarrão sentada perto da porta da cozinha todos os dias. Já adulto, um dia notei que não a via "chimarreando" há alguns dias e perguntei por quê. Lembro-me de ela ter respondido alguma coisa parecida com "parei porque senti que não podia mais ficar muitas horas sem chimarrão". "Por que uma coisa tão inocente seria um problema?", repliquei. "Não era, mas passou a ser", disse ela, explicando: "Por exemplo, na igreja, durante o culto, eu me pegava ansiosa por chegar em casa para tomar uma cuia, e isso tirava minha concentração".

Não retruquei, pois eu sabia o quanto a religião era importante para ela. Minha mãe nunca perdia os cultos de doutrina e desde sempre a vi frequentar a escola dominical da igreja. Era real e sincero seu desejo de ser uma boa conhecedora dos fundamentos da espiritualidade que abraçara desde moça. Temos aqui o que dá fundamento e motivo para que tenhamos foco e concentração: o desejo profundo de atingir nosso objetivo.

O objetivo de minha mãe era claro e simples – manter-se bem instruída no que ela considerava fundamental. Foi este objetivo que a fez descartar o hábito inocente que começou a desconcentrá-la em horas inoportunas. Todos sabemos que distrações e entretenimentos saudáveis são muito bem-vindos, desde que nas horas próprias.

É claro que essa disciplina não poderia faltar a alguém que passou as últimas cinco décadas capitaneando um grande negócio. A evidência de que Mick Jagger é um líder focado aparece de modo subjacente ao longo de sua carreira; por isso selecionei algumas situações em que isso fica mais patente.

Em seu livro, Christopher Sandford relata os encontros dos Beatles e Stones para acertos da agenda de lançamento de discos, de maneira que uma banda não atrapalhasse a outra. Pode-se dizer entre risos que a tão falada rivalidade entre eles era para inglês ver. As reuniões aconteciam no Ad Lib, um conhecido pub da Fulham Road, onde os demais integrantes dos dois grupos se divertiam enquanto Mick e Paul, ambos com pouco mais de vinte anos, sentavam-se em um canto discutindo detalhes técnicos, "parecendo dois gerentes de banco"; dali, Mick ia para casa com "a cara enterrada em papeladas que pareciam documentações em arquivos e diários".[51]

Independentemente dos acontecimentos – mais imediatos ou de longa duração, como no episódio dos impostos atrasados –, Mick sempre se manteve concentrado no que era fundamental. Sempre recusava entretenimentos quando se interpunham entre as responsabilidades.

Na época em que Mick fez o papel principal de *Ned Kelly*, amigos famosos do diretor Tony Richardson visitaram o *set* do filme e se hospedaram na casa que Richardson e Mick dividiam. Entre eles, o escritor Christopher Isherwood. O ilustre autor esperava encontrar um astro do rock irreverente, mas teve impressão bem diferente, conforme deixou registrado em seu diário: "Ele é pálido, calmo, bem--humorado; você pode ficar com ele durante horas e não saber que é um astro mundialmente famoso; além disso, diverte-se em grupo, faz muitas palhaçadas, dá-se muito amistosamente com todos da equipe, é capaz de entrar em uma conversa séria com quem quiser. (...) Falou sério, mas não de modo presunçoso, sobre grandes figuras e pensadores e sobre religião e espiritualidade em geral. Ele também se mostra sempre tolerante e jamais maldoso".[52]

Desde jovem, o vocalista da mais longeva banda de rock em atividade não perdeu o alvo de vista e se manteve atento e concentrado. À medida que a fama e a responsabilidade aumentaram, concentrou-se cada vez mais para que os Rolling Stones fossem mais do que uma mera boa banda de rock. Bandas boas surgem às centenas, indo e vindo, algumas duram poucos meses; outras, alguns anos; mas infelizmente a maioria se esfarela assim que se torna necessário um pouco mais do que talento para seguir em frente.

"São a concentração e a intensidade que produzem excelência", disse o pensador Baltasar Gracián, "e, se o assunto for importante, a excelência traz junto a boa fama." Parece que Mick sacou bem cedo a importância desse aforismo escrito há quase cinco séculos.

Temos um longo caminho para percorrer

Você está parada no seu lado

Eu estou parado no meu

Só é preciso dar um passo[*]

---

* "We've got a long way to go/ You're standing on your side/ I'm standing on mine/ It only needs one step", "Baby Break it Down", *Lounge* (1994)

10

TER INICIATIVA

Breckenridge Carnagey conta-nos em livro que alguém disse ao jovem Abraham Lincoln que, se ele quisesse ser advogado e aspirasse progredir na vida pública, precisaria aprender gramática.

"Meu caro amigo", respondeu Lincoln, "sendo assim, você saberia dizer quem poderia me emprestar uma boa gramática para eu começar a estudar o assunto?"

"Sei que meu amigo John Vince tem uma coleção da gramática de Kirkham. Ele mora há pouco mais de dez quilômetros daqui."

Ouvindo isto, Lincoln de pronto levantou-se do saco de feno onde estava sentado e, colocando o chapéu na cabeça, disse:

"Então, meu velho amigo, se você puder me apontar o caminho, irei até lá agora mesmo."[53]

Qualquer pessoa ficará impressionada com os números vistosos caso se debruce por algumas horas sobre os negócios da marca Rolling Stones.[54] Tudo o que conseguiram para além do campo de compor músicas é resultado de várias habilidades e competências de liderança que, fundidas de modo muito patente no líder da banda, levaram o grupo até o topo do topo. No DNA de cada uma destas habilidades de liderança está aquilo que acabamos de ver Lincoln demonstrar no texto acima: iniciativa, a tomada de decisão, o passo inicial assim que tenha sido identificado o que precisa ser feito.

"No meu entender", escreveu Miguel Reale, "as coisas meritórias situam-se no mundo do dever ser e correspondem a coisas que não podem ser apenas pensadas, por implicar sempre uma necessária iniciativa no que diz respeito à sua realização."[55]

Penso que não seria preciso grande esforço para lembrar as muitas vezes em que deixamos escapar oportunidades por hesitar em tomar a iniciativa, adiando desnecessariamente a decisão de agir. Decidir ou ficar parado na indecisão, tomar ou não a iniciativa, agir ou não agir: em maior ou menor grau, isso está presente em nossas vidas o tempo todo, desde sempre, e a forma como agimos e reagimos é que irá definir em grande medida a nossa eficácia tanto na liderança de nós mesmos quanto na liderança de uma equipe – ou na liderança de uma banda de rock iniciante rumo ao estrelato.

É possível que o assunto deste capítulo pareça óbvio demais para figurar no catálogo de competências necessárias ao líder. Mas, se formos enumerar quantas vezes ignoramos ou damos pouco valor a algumas obviedades essenciais, veremos o quanto é necessário tocar no assunto. Assim, decidir e agir sem muita demora é um elemento indispensável para quem quer consolidar sua liderança. Se não temos iniciativa ou a temos em grau pouco eficaz, devemos treinar para desenvolvê-la. Sempre que lemos sobre líderes eficazes, aqui e ali vemos sinais claros de que são pessoas com iniciativa para decidir as ações necessárias. Não poderia ser diferente em relação ao personagem principal deste livro.

Conta-se que, numa plataforma da estação de Dartford, um passageiro solitário esperava pelo trem. O rapaz – Mick Jagger aos 18 anos – dava pequenos pulos de um lado para o outro para aquecer-se naquela manhã friorenta. Quando olhou em direção à curva da outra plataforma, vinha de lá o jovem Keith Richards, com 17 anos. Os dois haviam se conhecido na primeira infância, na pré-escola, e desde então não haviam mais se visto. Keith estava ali para pegar o trem para Sidcup, algumas estações adiante, e Mick ia para a aula em uma universidade em Londres, a 25 quilômetros dali.

A parceria mais longamente produtiva da história do rock poderia não ter acontecido caso um deles tivesse parado para tomar um café ou para qualquer outra amenidade cotidiana. Mas encontraram-se, e, se alguém presente a esta cena pudesse prever o futuro, saberia estar assistindo a um momento emblemático – ou cataclísmico, como diria algum fã mais exaltado – para a história da música pop mundial. Um deles trazia discos de blues debaixo do braço, o outro trazia a guitarra a tiracolo. Guitarras e discos de blues, e o assunto do rápido reencontro enveredou imediatamente pelo interesse deles por música.

Logo depois desse encontro, Mick e Keith decidiram procurar músicos que compartilhassem com eles a paixão pelo blues e rhythm and blues. A iniciativa de procurar integrantes para formar uma banda logo rendeu frutos, e algum tempo depois a dupla transformou-se no supergrupo de cinco elementos decididos a tornar o blues um ritmo popular na Europa.[56] Será tal episódio trivial demais para constar como exemplo de iniciativa? Nas biografias da banda vê-se em muitas outras situações que nunca faltou iniciativa aos Stones.

Sabendo-se que pessoas vitoriosas são pessoas com iniciativa, façamos um rápido inventário de memória: quantas vezes uma boa ideia veio à nossa mente e a deixamos de lado sem tomar a iniciativa sequer de anotá-la? Quantas vezes vimos pessoas sendo bem-sucedidas ao efetivar uma ideia que tivemos antes, mas que, ao contrário delas, não tivemos a iniciativa para colocar em prática? Napoleon Hill dizia que "a iniciativa é tão essencial à liderança e ao triunfo quanto o eixo é essencial à roda".

Uma habilidade tão necessariamente óbvia, não é mesmo? Tão óbvia que muitas vezes ignoramos a necessidade de exercitá-la. Se contarmos apenas com nossa capacidade natural de tomar a iniciativa, pode acontecer que, quando precisarmos, ela esteja tão adormecida a ponto de não conseguirmos exercê-la. Por isso, as pessoas vitoriosas buscam ter essa competência sempre afiada, para que não esteja enferrujada na hora da necessidade.

Além do mais, se esperamos estar com tudo cem por cento certinho e seguro para dar o pontapé inicial em uma ideia, talvez nunca comecemos nada. A banda Titãs resumiu bem isso numa canção: "Eu não sei fazer música/ Mas eu faço/ Eu não sei cantar as músicas que faço/ Mas eu canto".*

Os caminhos de pessoas determinadas, que exercitam o ânimo e a capacidade de iniciativa, sempre acabam se cruzando, deixando atrás de si belas histórias de prosperidade. No caso de Mick Jagger não seria diferente. Um episódio lendário ilustra bem a importância

---

* "Eu não sei fazer música", do álbum *Tudo ao mesmo tempo agora* (1991).

de exercitar a iniciativa. A história começa em 5 de julho de 1969, quando os Stones fizeram o célebre show no Hyde Park em Londres. O concerto marcaria a introdução do guitarrista Mick Taylor na banda, mas transformou-se em uma homenagem a Brian Jones, morto tragicamente dois dias antes, aos 27 anos, afogado em sua piscina.

Entre o público de cerca de 250 mil pessoas estava um rapaz de 18 anos que foi assistir àquela que chamava de "a maior banda de rock do universo". Ele estava dando os primeiros passos numa modesta iniciativa: vender discos pelo correio. Como um cavalo sedento galopando em direção à água fresca, o rapaz aproveitou a oportunidade para distribuir folhetos de propaganda de seu pequeno negócio, sem imaginar que mais adiante a iniciativa o faria cruzar o caminho de sua banda preferida.

Dois anos depois, Richard Branson, o rapaz, fundaria a Virgin Records. Em novembro de 1991, a Virgin tornou-se a gravadora dos Rolling Stones. Quando os integrantes da banda se encontraram com Branson para assinar o contrato de US$ 45 milhões, o CEO contou a eles o que fez naquela manhã de 1969 no Hyde Park. O rapaz que vinte anos antes distribuíra folhetos do negócio incipiente de venda de discos pelo correio tinha agora a maior banda de rock em atividade do planeta no catálogo de sua gravadora.

É claro que algumas iniciativas frutificam muito, outras frutificam menos, e outras, coisa alguma. Mas é inegável que sem iniciativa nada prospera. Ter um espírito empreendedor, ter um senso minimamente aguçado de iniciativa é fundamental para ser um líder eficaz.

Em boa parte do tempo, no cotidiano pessoal ou no planejamento dos negócios, é preciso ação, decisão, iniciativa para a solução de problemas, pequenos ou grandes. Quando demoramos para entrar em ação, a indecisão contamina nosso ânimo, tornando-nos improdutivos, e infelizmente isso é muito comum. "Nada mais disso de perder tempo, pois as indecisões quase sempre acabam em males", adverte um dos personagens de *Henrique VI*, de Shakespeare.

Não precisamos ceder à indecisão. É justificável que a razão nos faça eventualmente hesitar diante de situações que possam causar dano, mas não podemos ser como a faísca que sai da pedra, que "só se manifesta por meio de pancada", na analogia de Shakespeare em *Tróilo e Créssida*. Para nos tornarmos mais proativos, devemos exercitar nosso poder de decidir sempre que possível, mesmo nas coisas mais comuns e simples do dia a dia, para fortalecer a musculatura de nossa ousadia e assim nos aproximarmos cada vez mais daqueles que, pela coragem de decidir e empreender, tornaram-se líderes admiráveis.

É melhor você parar, colocar uma

expressão gentil no rosto (...)

Estamos no mesmo barco

No mesmo mar*

---

* "You'd better stop put on a kind face (...)/ We're in the same boat/ On the same sea", "Rock and a Hard Place", *Steel Wheels* (1989).

11

PERSONALIDADE AGRADÁVEL

Anos finais do século 14. A conturbada Inglaterra está sob a liderança de Henrique IV. As perturbações da ordem pública davam-se sob a forma de rebelião armada conduzida por alguns duques insatisfeitos. O destemido sir Hotspur acabara de ser vencido em combate juntamente com seu exército, e as demais forças rebeldes buscavam agora reorganizar-se para continuar a luta. Lord Bardolfo e sir Morton, outros nobres que apoiavam a insurreição, conversam sobre os novos passos a dar.

> LORD BARDOLFO: Quando nos enredamos nesta rebelião contra o rei Henrique sabíamos que o mar em que navegávamos fervilhava de obstáculos e que tínhamos uma só chance em dez de sair vitoriosos. Todavia, arriscamos, pois a esperança da glória compensava a expectativa do terrível perigo. Mas já que fomos derrotados, tentemos novamente.
>
> SIR MORTON: Senhor, trago informação de que nosso amigo, o corajoso bispo de York, se levantou com tropas bem armadas. É um líder que, confiado em sua coragem, junta em torno de si muitos adeptos para nossa causa. Já o vosso filho, o valente

Hotspur, quando em guerra contra o rei, tinha de seus soldados apenas o corpo, e não suas mentes e vontades; eram viventes sem viço, meras aparências de homens para entregar-se à luta, pois o vocábulo "rebelião" lhes enfraquecia o ânimo da alma. Então, com muitos receios no coração é que lutavam. As almas deles, sob o peso da palavra "rebelião", tornaram-se trêmulas e medrosas. Porém, o bispo de York transforma esta insurreição em boa religião aos olhos do povo, por ser ele pessoa agradável e de puros pensamentos, então de alma e corpo é seguido por todos.[57]

Diante do título desse capítulo, qual a primeira coisa que lhe vem à mente, caro leitor? Se o termo "personalidade agradável" remete-o imediatamente àquela pessoa dócil e supersimpática que todos adoram ter por perto, talvez esteja na hora de levar o conceito um pouco adiante e ver um outro aspecto, referente ao nosso interesse de aumentar o desempenho em liderança.

Este outro aspecto é o núcleo de onde podemos desenvolver uma personalidade genuinamente agradável e pode ser descrito numa pequena sentença proferida por Paulo de Tarso há vinte séculos: "Nada façais por contenda ou por vanglória, mas por humildade; cada um considere os outros superiores a si mesmo" (Filipenses 2:3). Por bastante tempo, este texto me fez refletir – encucar talvez seja o termo mais apropriado – em que consistiria, afinal de contas, o imperativo "considere os outros superiores a si mesmo".

Sou desde a adolescência um leitor atento das cartas paulinas e jamais me ocorreu que ele quisesse dizer que devemos ser subservientes e muito menos aduladores. Como então deveríamos compreender e aplicar tal recomendação sem que isso represente prejuízo de uma saudável autoestima?

Talvez não exista resposta que esgote a questão, mas me ocorre que esta fala do apóstolo se refira ao fato de que certas pessoas têm qualidades que não temos, qualidades de caráter muito almejadas, qualidades que eventualmente nos esforçamos para ter, mesmo falhando em consegui-las, e que certas pessoas possuem com naturalidade e pureza.

Penso que sejamos unânimes quanto ao fato de que qualidades de caráter devem sempre ser admiradas onde quer que existam. Assim, sem prejuízo nenhum de nosso próprio valor, podemos ter a todos, em alguma medida, genuinamente superiores a nós, pois todos têm pelo menos alguma coisa de grande valor em sua personalidade. Talvez aquele cara que consideramos insuportável tenha enfrentado risco de morte em atos de bravura visando unicamente o bem de quem estivesse em necessidades. Aquela pessoa que muitos acham um tremendo chato talvez seja, sem alardes, um voluntário essencial em alguma instituição de auxílio a necessitados. Ou, independentemente de tais exterioridades, talvez sejam tão somente pessoas com algo precioso em sua vivência interior.

Isso pode soar demasiadamente simples, e talvez seja, mas certamente nos dá uma medida de valor intrínseco para cada pessoa das nossas relações cotidianas, pois mesmo a mais desleixada delas tem em si alguma boa qualidade que nós, na correta busca por um caráter perfeito, desejamos. Esta postura interna, quando cristalizada em nossas atitudes, faz-se notar exteriormente; todo exercício para ser uma pessoa agradável deveria nascer daí, sob pena de outros esforços parecerem apenas maquiagem ou pior ainda: adulação. Sem prejuízo de honras devidas a quem de direito, o cuidado em apreciar as pessoas por aquilo que de fato importa nos ajudará a não cair na armadilha de supervalorizar posição social ou sinais exteriores de superioridade.

Poucos acontecimentos poderiam servir tão bem de exemplo quanto o ocorrido na vida do protagonista deste livro no início da banda. Mick já era bem conhecido; embora ainda muito longe da fama e fortuna que alcançaria, começava a ser cortejado pela alta sociedade descolada e super-rica de Londres. Um convite por aqueles dias foi recebido com grande satisfação – um para o "sr. Michael Philip Jagger e srtª Christine Shrimpton", sua namorada, para o baile oferecido por William Ormsby-Gore, lord de Harlech, descendente direto da rainha Mary Tudor. O que poderia ser mais excitante do que estar à mesa com a *crème de là creme* da aristocracia inglesa?

Mick ficou perfeitamente à vontade no ambiente refinado, flanado entre as mesas para conhecer os convivas, apreciando imensamente a ocasião. Sentou-se em uma mesa próxima à do comediante Peter Sellers e da jovem princesa Margareth, irmã mais nova da rainha Elizabeth. "A princesa Margareth pediu que Mick fosse levado até a mesa dela, e fiquei sozinha por algum tempo", contou Chrissie Shrimpton, "então fui até Mick e disse a ele que estava indo embora. Ele se levantou tão bruscamente que chegou a balançar a mesa inteira, veio atrás de mim e fomos para a rua rindo. Aquele foi um dos nossos momentos mais marcantes."[58]

A escolha de Mick, demonstrando lealdade à namorada, sendo gentil e cuidadoso com os sentimentos dela – mesmo cortejado o tempo inteiro pelas mais belas mulheres da cidade –, é fruto de uma personalidade amadurecida e decididamente agradável. Se ao longo da carreira muitas vezes teve de mostrar-se endurecido ou xucro, é porque, no que tange à vida empresarial de um astro multimilionário, pode ser necessário criar um certo escudo para não correr o risco de ser engolido vivo pelo sistema, caso se mostre um cara muito bonzinho.

O líder que cultiva uma personalidade agradável não vai aproveitar-se de sua posição para empurrar coisas goela abaixo dos liderados; antes agirá com respeito e consideração, sabedor de que todos merecem isso. Foi o que Mick fez na noite de junho de 1999, quando a turnê Bridges to Babylon estreou na Inglaterra depois de percorrer vários países. O show para 85 mil pessoas, na arena de Wembley, começou com meia hora de atraso. Mick, que há bastante tempo usava como saudação de entrada um grito longo e energético – "aaaall right" – nesse dia fez um pedido formal de desculpas antes de tudo: "Sinto muito mesmo por termos demorado tanto a entrar, agradecemos muito por vocês terem esperado e vamos tocar pra caramba para compensar".

Já vi – e talvez o leitor também – artistas e bandas com 10% do tamanho dos Rolling Stones não ligarem a mínima em deixar os espectadores esperando por uma ou duas horas, sem dar a menor satisfação ao entrar no palco. Concordo que dar excessivas satisfações pode não ser muito recomendável, mas isso não é justificativa para se faltar com o respeito. Um líder treinado e habilidoso sabe a dose certa: nada de explicações excessivas, tampouco indiferença e jamais desrespeito. Um líder como Mick Jagger cultiva uma personalidade agradável porque sabe que isto é, em certa medida, a cola que une todas as outras habilidades de liderança.

O desinteresse em cultivar uma personalidade agradável pode produzir desencontros nos interesses mútuos, como ocorreu com Mick, Keith e Chuck Berry. A dupla dos Stones estava em Los Angeles e foi ver uma apresentação de Chuck Berry, pioneiro legendário do rock and roll e ídolo dos astros ingleses. Alguém do *staff* convidou Mick e Keith para subirem ao palco, mas Chuck Berry irritou-se com o volume da guitarra de Keith. Depois de sinalizar mais de uma vez para ele baixar o volume, expulsou-o do palco. Uma versão da história diz que Berry chegou a chamá-los de volta, mas Mick e Keith já haviam saído. O fato é que Chuck Berry não teve interesse em se mostrar agradável e receptivo. O venerável guitarrista, um dos criadores do rock 'n' roll, foi descrito com frequência como "azedo, teimoso e irascível" e conhecido por enxotar jornalistas que ousavam chegar próximo de sua residência para tentar entrevistá-lo.[59]

O capitão que não se esforça em ter uma personalidade agradável dificilmente conseguirá agregar pessoas comprometidas na busca do objetivo, tampouco conseguirá construir relacionamentos duradouros e profícuos. Não importa em que ponto da jornada estejamos, não podemos abrir mão dessa habilidade.

O vocalista dos Rolling Stones já era mundialmente famoso quando um agente levou seu nome até o produtor Sanford Lieberson, que procurava um protagonista para o filme *Performance*, de 1970. De início Lieberson ficou com um pé atrás, temendo lidar com um superastro do rock. Tempos depois, afirmou: "Mick é o sonho de qualquer diretor de cinema; durante todas as onze semanas de filmagens ele compareceu para trabalhar todos os dias pontualmente, obedecendo às instruções de seus diretores ao pé da letra, suportou sem reclamar a repetitividade e o tédio frequentes na produção de filmes e, para o resto do elenco e os membros da equipe, revelou-se a mais agradável, mais divertida e menos pretensiosa das pessoas".[60]

O espírito afetuoso e cortês não impede o líder de ser enérgico quando necessário, pois a justa severidade terá mais efetividade vindo de uma pessoa que normalmente é afável e cortês. Vejamos o trecho de *Os contos de Cantuária*, em que Geoffrey Chaucer descreve em pormenores os 29 peregrinos que seguiriam até a catedral de Canterbury. Entre eles "um cavaleiro de armadas, um homem muito digno, que, desde que principiara a montar, amava a cavalaria, a lealdade e a cortesia. Valente nas batalhas, sempre fora reverenciado pelo seu valor. Esteve presente na batalha de conquista de Alexandria. Muitas vezes, na Prússia, coube-lhe a cabeceira da mesa, à frente de chefes de várias nações; esteve também em batalhas em Granada e no cerco de Algeciras; muitas coisas mais eu poderia dizer da liderança e valor deste guerreiro. E, apesar de toda essa bravura e de seu ar levemente grave e severo, era de conduta tão agradável tanto quanto alguém pode conseguir ser. Conosco também estava um oficial de justiça eclesiástica. Lascivo como um pardal, de riso fácil, tinha pestanas grandes e barba rala; gostava muito de comilanças e mais ainda de vinho forte; depois de beber, desatava a cantar e alegrar-se. Porém, na surdina, aceitava subornos para fazer vistas grossas a todos os tipos de iniquidade. Em troca de um ou dois galões de vinho, fazia ouvidos moucos para qualquer calhordice. Era um sujeito canalha, mas bonzinho, e no mais das vezes ele próprio fazia das suas maldades às escondidas."

Talvez preferíssemos antes o segundo ao invés do primeiro para ser nosso amigo, líder ou chefe, pois numa olhada rápida tal personagem pareceria uma pessoa mais agradável por causa do riso fácil, das cantorias e comilanças, além do ar de bonzinho. O líder eficaz, no entanto, pode preferir mostrar-se um pouco mais austero e circunspecto, deixando a parte agradável da personalidade apresentar-se de maneiras menos evidentes, porém mais efetivas. De uma forma ou outra, se é importante para nós ser bem-sucedido na busca do objetivo, devemos prestar atenção especial ao cultivo de uma personalidade agradável.

Você já faz isso antes
Espera fazer outras vezes mais
Você transformou isso em uma fina arte*

---

* "You've done it before/ Hope to do it some more/ You've got it down to a fine art", "Congratulations", *12 x 5* (1964).

12

FORÇA CÓSMICA DO HÁBITO

A iluminação do palco produz uma *skyline* humana formada por músicos e dançarinos. Coberto com uma pesada capa azul dos ombros até o chão, Mick Jagger está de costas. Vira-se de frente para o público, tira a capa e começa uma apresentação em ritmo de "ancião atômico". Nos cinco minutos seguintes, mostra por que é fascinante há tanto tempo. Na plateia da 53ª edição do Grammy Awards, em 2011, bem próximo ao palco, Will Smith, Nicole Kidman e Daniel Craig dançam e exibem de graça o sorriso de 25 milhões de dólares que costumam mostrar nos filmes.[61]

Desde que pegou este livro, você está lendo sobre um *showman* que não poupa esforços para encantar o público. No palco, o pai responsável de oito filhos, que tem também cinco netos e uma bisneta transforma-se no explosivo *rockstar*.[62] É desnecessário descrever suas célebres performances; só o fiz para destacar que seus giros e saltos naquela apresentação teriam levado muitos de nós a uma visita forçada ao ortopedista.

A maioria de nós está longe de ter os talentos de Mick Jagger, mas podemos nos igualar a ele no que tange aos bons hábitos de saúde física e mental. Ele só faz o que faz na idade que tem porque usa a seu favor a força cósmica do hábito.

Napoleon Hill comenta que a força do hábito é geralmente reconhecida, mas quase sempre sob seu aspecto negativo. O peso negativo do termo "hábito" decorre daqueles maus hábitos que cultivamos sem perceber e que muitas vezes nem atinamos o quanto nos prejudicam.

"Já há muito se diz que os homens são filhos do hábito, e, se é certo que o hábito se torna muitas vezes um tirano que domina o homem e o leva a agir contra a sua própria vontade (...), surge a questão de saber se o hábito poderia ser controlado pelo homem como acontece com outras forças da natureza. Se isso é possível, o homem deve dominar o hábito e pô-lo a seu serviço, tendo dele os benefícios", escreveu Hill.

> Meu caminho pro trabalho
> É um pouco mais comprido
> Eu vou sempre pela praia
> Que é muito mais divertido
> Chego sempre atrasado
> Mas eu não corro perigo
> Quem devia dar o exemplo
> Chega atrasado comigo
> E diz:
> Soy Latino Americano
> E nunca me engano

Quem foi adolescente nos anos 1980 talvez tenha cantado muito vezes "Soy Latino Americano", do compositor carioca Zé Rodrix. Na canção, maus hábitos não apenas são relevados, mas até louvados.

Acolher e cultivar hábitos danosos é como criar escorpiões embaixo da própria cama. No entanto, quando em nós a tomada de consciência de um defeito torna-se motivo de celebração, entramos na rota certa para a construção do caráter sólido que a liderança eficaz exige. Sejamos impiedosos com nossos maus hábitos e malemolências, pois são cadeias que prendem nossa mente em um labirinto contraproducente. "O melhor método para a destruição de hábitos prejudiciais", enfatizou Hill, "é formar outros que os substituam; se abrirmos novos caminhos mentais, veremos como os antigos vão se tornando menos distintos até desaparecerem com o tempo."

Talvez o leitor lembre de alguma situação em que fez essa substituição. Lembro-me que, para aplacar a vontade de fumar – péssimo hábito que tive por vinte anos –, comecei a fazer longas caminhadas diárias para desanuviar. O hábito das longas caminhadas consolidou-se, enquanto o de fumar foi devidamente esquecido há quase uma década.

No capítulo "Lidar com o fracasso", vimos quando Mick percebeu que estava adquirindo um hábito tão nocivo que poderia abortar sua carreira. Ele o deixou de lado e adquiriu um hábito positivo, responsável pelo vocalista aguentar, aos setenta e tantos anos, as maratonas de shows pelo mundo. O camarim dos Rolling Stones tem uma área comum e outra separada e personalizada para cada integrante da banda, com uma placa na porta. O camarim de Keith Richards é o "Acampamento Raio X", o de Charlie Watts é o "Cotton

Club", o de Ron Wood é a "Sala de Recreação" e o de Mick é a "Área de Exercícios".[63]

"Faço alongamento, exercícios e corrida leves; não dá para fazer o que eu faço no palco por quase três horas se não estiver em forma", disse Jagger em entrevista para o *Daily Mail*.[64] Ao disciplinar-se no hábito da atividade física, Mick escapou dos vícios responsáveis pela interrupção de milhares de carreiras promissoras no mundo da música, pois é certo que ilusões e delírios destruidores trabalham mais facilmente em mentes fragilizadas pelo sedentarismo.

Não é apenas no quesito saúde e exercícios que Mick demonstra hábitos louváveis. Mesmo não tendo muitos pendores religiosos, quando canta "Deus me deu tudo que quero (...), e senti isso na corrida que ganhei (...), e ouço isso em uma sinfonia, e sinto isto no amor que você demonstra por mim",* ele revela a compreensão de que, por mais capazes que sejamos, devemos alimentar o hábito de agradecer continuamente pelos benefícios que temos; por estarmos tão acostumados a eles, às vezes não nos damos conta do quão formidáveis são.

Penso que devemos alimentar o hábito de agradecer e regar um sentimento constante de gratidão porque todos os confortos modernos um dia tiveram de ser inventados, e no processo entre o projeto e o produto houve muito sangue, suor e lágrimas. Nós ficamos com a melhor parte, que é usufruir dessas comodidades desembolsando apenas algum dinheiro. Se podemos nos deleitar com um grande clássico da literatura pagando apenas algumas dezenas de reais, é

---

* "God gave me everything I want (...)/ And I felt it in the race I won (...)/ And I hear it in a symphony/ And I feel it in the love/ You show for me", "God Gave Me Everything", *Goddess in the Doorway* (2001).

porque alguém passou meses em um duro trabalho de tradução e uma editora arriscou dinheiro para lançar o livro no mercado. Esta é uma entre milhares de situações que demonstram que devemos gratidão à sociedade em que vivemos, não importando o quanto eventualmente pareça injusta e errada. Particularmente, penso que o hábito da gratidão é o mais importante costume perene a ser cultivado.

É bom lembrar que adquirir e conservar bons hábitos é, em grande medida, ter lealdade de propósitos, ter constância e solidez nos pensamentos e atos, e tais coisas devem ser buscadas com empenho, pois são fundamentais para a vida e para a tão almejada liderança eficaz.

Me escute batendo a campainha
Me escute cantando suave e baixo
Andei suplicando (...)
Me ajude por favor

* "Hear me ringing big bells toll/ Hear me singing soft and low/ I've been begging (...)/ Help me please", "Can't You Hear Me Knocking", *Sticky Fingers* (1971).

13

CONSEGUIR COOPERAÇÃO

O ambiente festivo no pátio da residência não impediu que o homem enraivecido procurasse o anfitrião para pedir sua cooperação. Na biblioteca da mansão, sentado diante do chefão da máfia siciliana em Nova York, o homem conta a razão de seu infortúnio. Quando a emoção embarga sua voz, alguém lhe alcança um cálice de licor que é imediatamente bebido de um só gole. O homem recobra a serenidade e recomeça:

Amerigo Bonasera: Eu acredito na América. Aqui fiz minha fortuna. Eduquei minha filha ao modo americano. Ela arrumou um namorado. Há uns dois meses ele a levou ao cinema junto com um amigo, fizeram-na tomar uísque e então tentaram abusar dela. Ela resistiu, e eles a espancaram. Ela é a luz da minha vida. Mas sou um bom cidadão, então procurei a polícia. Eles foram condenados a três anos, mas o juiz suspendeu a pena, e eles saíram livres no mesmo dia. Me ajude, Don Vito, a justiçar a minha filha!

Vito Corleone: Por que você procurou a polícia? Devia ter vindo a mim primeiro.

Bonasera: Eu não queria me meter em problemas.

Corleone: E o que quer que eu faça?

[Bonasera vai até Don Vito e fala baixinho em seu ouvido.]

Corleone: Isso eu não posso fazer!

Bonasera: Por favor, faça. E darei qualquer coisa que me pedir.

Corleone: Bonasera, nós nos conhecemos há muitos anos, e você nunca quis minha amizade.

Bonasera: Quis evitar problemas.

Corleone: Entendo. Você tem uma vida abastada, tem a proteção dos tribunais de justiça. Mas agora vem até mim e pede "Don Vito, faça-me justiça". Mas você não me pede com respeito, você não me oferece sua amizade. Mas vem em minha casa no dia do casamento da minha filha e me pede para matar pessoas por dinheiro.

Bonasera: O que peço é só justiça para mim e para minha família.

Corleone: Não. Isso não é justiça, pois sua filha está viva.

Bonasera: Então faça com que eles sofram como ela está sofrendo. Quanto tenho de pagar para que faça isto por mim?

Corleone': Ah, Bonasera, Bonasera. O que eu fiz para que me trate com tanta falta de respeito? Se tivesse vindo a mim como amigo, os canalhas que machucaram sua filha já estariam sofrendo nesse momento. E se você tivesse inimigos, eles seriam meus inimigos também.

Não é necessário pensar muito para concluir que cooperar e conseguir a necessária cooperação é ação e assunto que permeia a vida, a arte e a literatura desde que o homem descobriu-se vivendo em comunidade. A necessidade de conseguir cooperação transcende os assuntos humanos e alcança até as divindades: não importa qual seja nossa crença, em toda confissão que comporte a ideia de um Criador, encontraremos histórias em que as mais altas deidades buscam cooperação e sempre encontram entre os humanos alguém disposto a colaborar. Ou seja: até as divindades precisam de cooperadores, e cada uma tem o seu jeito de consegui-los.

E quanto a nós? Quais maneiras usamos para obter cooperação quando necessário? O exemplo que abre este capítulo pertence à ficção.[65] Na cena, temos o chefão mafioso que com muito prazer teria cooperado com o pai angustiado e suplicante. Com o poder de que dispunha, Vito Corleone não teria dificuldade em atender o pedido e até observou: "Devia ter vindo a mim primeiro". Mas por que o homem teve a resposta indesejada?

A natureza de nossos pedidos de cooperação pode ser variada, mas a substância do ato é a mesma. Embora a maioria das pessoas seja propensa a cooperar, a forma como são abordadas definirá se serão cooperativas ou não. Bonasera recebeu em um primeiro momento uma resposta negativa; afinal, por que don Corleone cooperaria ao ser abordado de forma tão descortês?

O modo atrevido de Bonasera talvez se baseasse no fato de ser muito rico e poder pagar qualquer preço pelo que queria. Mas diz-se, e parece ser muito verdadeiro, que a presunção é frita na sua própria banha. Ser a pessoa que assina o cheque não nos garantirá cooperação. Ser patrão, chefe ou gerente não nos assegura a leal cooperação de ninguém. O dinheiro pode garantir que um serviço seja feito dentro do prazo estipulado ou coisa assim. Isso é importante. Porém, quando temos objetivos definidos que implicam uma longa caminhada junto com uma equipe, a questão de conseguir cooperação toma um sentido mais específico e mais importante.

A liderança de uma equipe, de uma empresa, de uma família ou de qualquer parceria que demande anos de caminhada pede que sejamos habilidosos neste quesito. É também para este fim que há no livro o capítulo sobre a necessidade de construirmos uma genuína personalidade agradável. Se quisermos a cooperação baseada apenas no dinheiro que pagamos, correremos o risco de não a obter quando mais precisarmos. Ou pior: podemos liderar pessoas que "cooperam" dizendo apenas aquilo que gostaríamos de ouvir. Esta situação pode trazer conforto imediato e sensação de grande competência ao líder, mas com o passar do tempo aparecem seus efeitos nocivos. Este tipo de relação é regido por uma lealdade postiça; assim, o capitão se mantém feliz no comando do barco enquanto navega em direção às rochas.

Permita-me mostrar como essa dança é tragicamente executada usando um diálogo de Dom e Sancho Pança. O motivo da fala é que, na estrada a caminho de Sevilha, Dom Quixote aplicou uma surra em um passante distraído por tê-lo confundido com um criminoso.

"Parece-me, meu senhor Dom Quixote, que seria acertado refugiarmo-nos em alguma igreja, porque, à vista do mau estado em que pusestes aquele homem, não será de admirar que, chegando a coisa ao conhecimento das autoridades, nos mandem prender; e, se fizerem isso, não sairemos da cadeia sem primeiro suar muito nosso topete.

"Por favor, cala-te!", respondeu Dom Quixote, "onde foi que vistes ou lestes que algum cavaleiro andante fosse posto em juízo, por mais homicídios que cometesse?"

"De homicídios nada entendo", respondeu Sancho. "nem jamais me intrometi em nenhum desses; o que sei é que as autoridades têm lá suas contas a ajustar com os que pelejam em campo; no mais das coisas, não me meto."

"Não tenhas tantos cuidados, Sancho", respondeu dom Quixote, "eu te livraria até mesmo de perversos gigantes ou de quaisquer outros que te queiram fazer mal. Mas diz-me agora, Sancho amigo: já vistes antes em tua vida um tão valoroso cavaleiro quanto eu tenho sido? Lê-se em histórias algum cavaleiro que tenha tido mais brio e bravura, mais alento no perseverar, mais destreza no ferir, ou mais eficácia em derrubar o inimigo em terra?"

"Vale a verdade", respondeu Sancho, "nunca li histórias porque não sei ler nem escrever; mas o que digo é que mais valente e robusto cavaleiro andante do que vosmecê nunca vi ou servi em minha vida."[66]

Ao longo das mais de mil páginas da saga quixotesca, vemos Sancho usar algumas bajulações, levando Dom Quixote a acreditar que era de fato um excelentíssimo cavaleiro andante, quando a história inteira mostra que ele era apenas um homem tresloucado que sofria espancamentos na maioria das vezes em que entrava em brigas. Sancho já havia percebido o estado de delírio de seu amo, mas agia movido por interesses nas terras e glórias que Dom Quixote lhe prometera ao saírem em busca de aventuras.

Guardemos por um instante a atitude "cooperativa" de Sancho e olhemos uma cena de *Rei Lear*, de Shakespeare. Kent, um fiel amigo do soberano, opõe-se a uma decisão tragicamente equivocada e de consequências calamitosas que o rei está prestes a tomar:

> Kent: Espera, meu amigo, líder e rei.
>
> Rei Lear: Tenha cautela com o que vais falar, Kent, pois meu arco está curvo e a corda está tensa; cuida-te, pois posso disparar a flecha.
>
> Kent: Prefiro que dispares, mesmo que a ponta dela atinja o fundo do meu coração. Serei rude enquanto estiveres claramente equivocado. Que pretendes fazer, meu bom e velho amigo? Julgas que deixarei de cooperar, falando o que tu precisas ouvir, quando vejo que te curvas ao erro por causa das adulações recebidas? A honra tem de ser sincera quando o líder se perde em equívocos. Conserva o teu comando, meu rei, reflete bem e refreia teu impulso, pois do contrário tu matarás quem contigo coopera e pagarás honorários a quem te adoece.

Quanta diferença entre as situações, não é? Numa, o liderado "coopera" sendo generoso no elogio, inflando o ego do líder, obscurecendo sua capacidade de decidir e pensar corretamente. Na outra, o liderado é firme em dizer a verdade, mesmo sob o risco de sofrer as penalidades, para ajudar o líder a decidir corretamente.

É fundamental para o líder ter na equipe alguém que tenha a coragem de cooperar com *feedbacks* dolorosos quando estes forem necessários, pois esta é a forma mais elevada de cooperação. Quando o líder consegue levar os liderados a participar da busca pelo objetivo, a cooperação torna-se contumaz, mas, se não houver alguém que ouse cooperar com *feedbacks* desagradáveis, o líder correrá o risco de fazer o empreendimento degringolar. Pesquisas indicam que 65% das empresas não chegam a durar cinco anos, e entre os fatores para isso é que muitas pessoas com alto poder de iniciativa esquecem que existem outras habilidades a ser cultivadas para que um empreendimento dê certo. Ter equipes cooperadoras é um fator de peso essencial em qualquer empreitada.

Sabemos que os aspectos mais imediatos da cooperação também são importantes, e a seguir veremos duas situações envolvendo integrantes dos Rolling Stones.

A primeira ocorreu em 20 de dezembro de 1989, no último show da turnê *Steel Weels* nos Estados Unidos, patrocinado por Donald Trump, atual presidente dos Estados Unidos. Foi assinado contrato entre a banda e o magnata proibindo-o de se envolver em qualquer coisa relativa à produção do show e até mesmo de assisti-lo. Trump, empreendedor hábil, vendo a oportunidade de ligar seu nome à banda, convocou uma coletiva de imprensa na mesma sala destinada aos músicos.

As equipes dos Stones e de Trump tentaram resolver o impasse. Mick estava ausente, resolvendo outros assuntos, e foi então que Keith

Richards interviu. Irritado, o guitarrista pegou uma faca, bateu-a em cima da mesa e soltou algo do tipo: "Ou vocês cooperam, ou o pau vai comer". A equipe de Trump preparou-se para uma eventualidade mais violenta, e o chefe de segurança dos Stones reuniu membros de sua equipe, armados com barras de ferro e tacos de beisebol. A tensão aumentou, continuando o agressivo bate-boca entre os grupos, que só cessou quando Trump abandonou a sala, acompanhado de seus seguranças.[67]

Nesta primeira situação, a cooperação – se é que se pode chamar assim – foi conseguida na marra, de um modo não recomendável e que decididamente não deve ser replicável no dia a dia.

A passagem do tempo fez com que os membros da banda entendessem que, para se eternizar no topo, precisariam se adequar melhor ao cotidiano das relações pessoais e comerciais. Já não eram mais rapazes tocando numa banda de rock e sim homens de negócios, e os shows, seu principal produto. Logo, não podiam continuar se comportando de modo tão xucro. Os Stones amansaram-se, e a atitude pode ter sido entendida por uma parte dos fãs como uma traição ao espírito do rock 'n' roll. Prefiro pensar que tal mudança reflete o fato de terem se tornado adultos prudentes e leva em consideração o tamanho da banda como uma máquina que movimenta centenas de milhões de dólares anuais.

A segunda situação reflete e exemplifica o modelo de liderança eficaz de Mick Jagger em ação já em 1969. Certa noite, a banda foi ao estúdio da gravadora Elektra para trabalhar em músicas do álbum *Let it Bleed*. Um violonista convidado, Byron Berline, estava lá para gravar sua contribuição numa das faixas.

"Enquanto eu afinava meu instrumento ainda fora do estúdio", conta Berline, "vi aquele cara durão e mal-encarado chegando com um trator muito barulhento para fazer algum tipo de trabalho pesado na pavimentação da calçada e da rua. Não poderíamos gravar com ele fazendo todo aquele barulho. Então, depois de alguns minutos, Mick saiu lá de dentro e foi até o cara para conversar com ele. Pensamos que o cara iria mandar Mick cair fora, mas depois de uns minutos, ele desligou os motores e disse que esperaria até terminarmos a sessão. Esse era o encanto de Mick. Ele podia bater um papo amistoso com a rainha da Inglaterra ou com um tratorista durão e dar-se honestamente bem em ambas as situações."

Não se sabe o que Mick falou. Para conseguir cooperação imediata em situações similares do cotidiano, é preciso mostrar uma personalidade agradável e usar ferramentas honestas de relações humanas. Estas ferramentas são um conjunto de atitudes genuinamente cordiais que só atingem o objetivo de conseguir cooperação quando usadas de modo franco e honesto. No conjunto de habilidades necessárias para ser um líder eficaz, garantir a cooperação ocupa um lugar de destaque, e Mick Jagger sempre mostrou se esforçar para ter essa competência.

Te digo, sou apenas um cara com uma mente constante
O que quer que eu queira, baby, procuro e vou encontrar*

---

* "I tell you I am just a fellow with a one track mind/ Whatever it is I want baby I seek and I shall find", "Just My Imagination", *Some Girls* (1978).

14

PENSAR COM SEGURANÇA

John Nash estudava matemática avançada em Princeton, várias vezes eleita a melhor universidade dos Estados Unidos. Aos 26 anos já havia sido chamado duas vezes ao Pentágono para ajudar o comando militar a decifrar códigos usados na alta espionagem, coisa muito comum durante as décadas da Guerra Fria.

Entretanto, desde o início da vida adulta, Nash dava mostras de estar desenvolvendo uma terrível doença psiquiátrica que o atormentaria por décadas: a esquizofrenia, em que o indivíduo começa a perder o contato com a realidade. Em um estágio medianamente avançado o portador dessa patologia já começa a ter delírios e alucinações. Nash não tinha trinta anos quando a doença tornou-se severa, levando-o a ter alucinações constantes.

Na época, o matemático desenvolvia a Teoria dos Jogos, mais tarde laureada com o prêmio Nobel de Economia. Os remédios o impediam de trabalhar direito, mas, ao deixar a medicação de lado para poder trabalhar, era acometido de alucinações tão intensas que chegaram ao ponto de colocar sua mulher e filho em perigo físico. A fascinante vida de John Nash foi levada para o cinema, e *Uma mente brilhante* levou o Oscar de melhor filme em 2002.

O momento do filme que retrata a família de Nash correndo perigo por causa de sua enfermidade serve de ilustração para o tema deste capítulo. Ali Nash tinha dois caminhos: tomar os remédios e desistir do objetivo de elaborar sua teoria ou tomar as rédeas de sua mente, fazendo-a a pensar com firmeza e estabilidade. Então chamou a mulher e o médico e expôs sua decisão, recusada energicamente pelo psiquiatra. "Preciso pensar que é apenas uma decisão de como usar a minha mente, preciso conseguir e é isso que farei", disse Nash em resposta aos argumentos do psiquiatra.[68]

No decorrer do filme, vemos como a decisão fez com que Nash conseguisse alcançar seu intento. Ele aprendeu a separar a realidade do delírio. Precisou ficar inteiramente seguro de seu estado interior, impondo sua consciência, nocauteando assim sua enfermidade.

Outro aspecto importante da clareza e exatidão no discernimento das coisas é sempre tomar cuidado para separar os fatos concretos daquilo que é mera informação. Só assim a pessoa conseguirá pensar e se expressar com clareza e honestidade. Todos nós sabemos que mesmo notícias vindas de pessoas ou veículos sérios podem, por descuido ou malícia, conter inverdades que nos levam ao erro.

Quem procura pensar com segurança toma o cuidado de aprimorar os filtros de seu intelecto; do contrário, fica à mercê daqueles que, com uma comunicação escorregadia, nos induzem a endossar decisões sem compreendê-las de todo e cuja agilidade mental torna possível provar que um cavalo castanho é o mesmo que uma castanha a cavalo.

Na década de 1980 um comercial de TV advertiu em uma frase: "É possível contar um monte de mentiras dizendo só a verdade".[69]

Ou, como disse um velho sacerdote: "O diabo conta nove verdades para mentir melhor na décima".

É elementar, mas sempre útil lembrar, que a lógica permite verificar a validade de uma conclusão diante da premissa dada, mas o que obtemos de um raciocínio lógico é apenas sua validade, não sua veracidade. Cabe a nós, cônscios de nossa inteligência, não nos deixarmos ludibriar por aquilo que apenas parece ser. Nestes tempos de redes sociais e veículos de mídia apressados – e um certo excesso de opiniões circulantes – torna-se ainda mais importante refinar nossos filtros mentais de modo a não nos deixarmos levar por ideias bonitinhas, porém sem substância.

"As ideias para mim são como as nozes, e até hoje não descobri melhor processo para saber o que está dentro de umas e outras senão quebrá-las", escreveu Machado de Assis em uma de suas crônicas. Isso é importante porque o uso de sofismas tornou-se comum em certos ambientes; logo, o líder eficaz precisa ter a mente treinada para percebê-los e pulverizá-los com a eficácia de um raciocínio firme e coerente. Talvez muitos façam uso de sofismas ou linguagem dúbia sem ao menos perceber; ainda assim, é necessário que nossa inteligência esteja afiada para perceber as armadilhas verbais a que estamos expostos.

Caso eventualmente surja em nós a tentação de usar de sofismas e dubiedade no exercício da liderança ou nas relações pessoais e profissionais, é bom lembrar que tais expedientes não passam despercebidos e diminuem nosso conceito e autoridade diante da equipe.

O descuido com o aprimoramento do intelecto pode nos fazer cair no erro de habitualmente recorrer a chavões, e poucas coisas depõem tanto contra a reputação quanto repetir clichês e frases feitas. Creio que a maioria de nós já utilizou sua cota de chavões, mas a caminhada para o triunfo pede um compromisso maior com a qualidade de nossos pensamentos e falas. Aquele que faz bom uso de sua inteligência acredita naquilo que vê, experimenta, analisa e, por fim, intelige; porém, quem descuida de sua inteligência acreditará naquilo que aprendeu a dizer. Um professor que tive no colegial usava o vocábulo "papagaio" para se referir a quem agia assim; o termo é um pouco grosseiro, no entanto, verdadeiro. Se não tivermos a devida instrumentação verbal para expressar efetivamente aquilo que vemos, sentimos ou percebemos, terminaremos por nos expressar usando estereótipos, e estes são quase sempre simplificações toscas que podem criar em nós cacoetes mentais emburrecedores.

Com o advento das redes sociais, surgiu uma certa pressa para ter opinião sobre uma imensidão de assuntos, o que pode nos levar a criar opinião de maneira descuidada e pior: acabar tendo por elas um afeto desmedido, como se fossem amados animaizinhos de estimação. Francis Bacon, considerado o fundador da ciência moderna, disse: "Tudo o que a mente agarra com avidez e tudo em que ela se demora com singular satisfação deve ser tomado com desconfiança".[70] Para que a integridade de nosso intelecto não se contamine, devemos tratar nossas opiniões a pão, água e chibatadas, levando-as à morte por desnutrição. É mais seguro ficar só com as que sobrevivem a essa dieta mortífera, pois, quando nos apegamos a convicções sem antes testá-las bem, corremos o sério risco de repetir bazófias, o que é fatal para qualquer pessoa e mais ainda para quem lidera equipes. Quando nos apaixonamos por nossas próprias opiniões, estas se tornam um martelo, e a opinião alheia, pregos.

Às vezes, ao repetir lorotas como fossem verdades, caímos no campo da anedota sem grandes prejuízos, como no dia em que os Rolling Stones fizeram check-in no "Morumbi Panetone" em um *post* no Instagram que apresentava o *set list* do show que fariam em São Paulo. O Morumbi é chamado de Panetone pelas torcidas adversárias do São Paulo Futebol Clube.[71] Este episódio gerou apenas um caso para o anedotário do futebol; porém, no cotidiano do trabalho e dos negócios, uma fala truncada pode trazer prejuízos às vezes irreversíveis.

A negligência no cultivo do intelecto pode aprisionar nossos pensamentos em labirintos mentais apatetados. Não há pessoa sobre a terra que, descuidando-se, fique imune a esta possibilidade. "Sim, meu caro Lucílio, cuida de reivindicar para ti o controle e propriedade de tua mente e de teu ser", aconselhou Sêneca, filósofo grego do século 4 a.C., em *A constância do sábio*.

Se entre nós há quem pense que sua bagagem de vida é um escudo que o torna inatingível à possibilidade de enredar-se nos labirintos mentais, cabe lembrar o clássico *Antônio e Cleópatra*, de Shakespeare, sobre aquela que é uma das mais conhecidas estadistas da história. A soberana egípcia administrava seu país quando permitiu que sua mente se desgovernasse. César, o imperador romano, que estava no Egito para acertos políticos com a rainha, percebe que os acontecimentos recentes haviam fragilizado o equilíbrio mental de Cleópatra. Antes de ir embora, o imperador muito gentilmente faz a ela um último apelo: "Ficai, portanto, alegre, não fazendo vossa prisão dos próprios pensamentos". A rainha despreza o conselho de César, naquele mesmo dia suicida-se, depois de perder-se completamente em sua confusão mental e emocional.

Já mencionamos aqui que influenciar pessoas é a mais essencial das qualidades necessárias em um líder. Esta influência só se sustenta ao longo do tempo se o líder treina as habilidades necessárias, entre elas, o cuidado com a saúde de sua mente, para mantê-la preservada contra os excessivos ruídos que impedem o bom raciocínio e o autocontrole. Mesmo o mais eficaz dos líderes ficará em maus lençóis caso ignore essa lição.

Vejamos: que tipo de dificuldade poderia temer um general cuja coragem foi fator determinante para a vitória em uma guerra terrível que ceifou a vida de mais de seiscentos mil soldados? Que tipo de coisa poderia fazer um líder dessa categoria tremer nas bases? Só mesmo fantasmas de sua própria mente conseguiriam amedrontá-lo, pois os mais terríveis perigos externos jamais tiveram esse poder.

Foi este o caso do general Grant, homem cuja bravura debelou uma das mais sangrentas guerras civis já vistas. Ele foi convidado à Casa Branca, em Washington, para receber uma homenagem e, ladeado por Abraham Lincoln, deveria fazer um breve discurso de agradecimento. Levou uma folha com apenas vinte linhas escritas, algo que se pode ler em dois minutos. Quando Grant começou a falar, sua mente foi assaltada por todo tipo de ruído e "a folha em sua mão tremeu, suas mãos suaram, os joelhos vergaram e sua voz morreu na garganta[100]".[72] Teve de parar e recomeçar para poder dar conta daquela pequena incumbência. O valente general Grant, que na guerra enfrentava baionetas e canhões em campo aberto, agora estava ali apavorado por não conseguir manter a mente sob seu próprio domínio – e isso para cumprir com o símplice intento de ler algumas poucas linhas.

O que fazer quando nossa mente agita-se, pula de um lado para outro como macaco de galho em galho? O controle mental é fundamental, pois, se nossa mente nos trai, teremos nela uma inimiga em vez de uma aliada. Nossos sentimentos, que devem ser apenas um termômetro de nosso estado interior e jamais uma régua para medir a realidade, trabalham contra nós nas vezes em que tomam conta de nosso raciocínio. Quantas coisas destrambelhadas já não falamos, movidos pelas emoções mais pueris? Quantas vezes queríamos dizer uma coisa e acabamos falando outra por conta de emoções que atropelaram nossa percepção e raciocínio? Talvez nenhum de nós esteja livre de passar por uma ou outra saia justa deste tipo, mas, se temos objetivos a alcançar e queremos ter um desempenho eficaz em liderar pessoas, devemos cuidar para que tais coisas aconteçam um mínimo possível. Ou, quem sabe, conseguir que jamais aconteçam.

É possível que uma parte do público esperasse inquietação, tremedeira e respostas apatetadas de Mick Jagger na entrevista concedida dias depois de sair da prisão em 1967. O vocalista aceitou o convite para participar do prestigiado programa investigativo *World in Action*, da TV Granada.[73] Marianne Faithfull, sua namorada na época, recordaria mais tarde que "ele estava um pouco assustado com a situação; Mick achava que qualquer palavra errada poderia levá-lo direto de volta à prisão".[74]

A produção convidou figuras proeminentes da comunidade londrina para sabatinar Mick Jagger em um programa de formato semelhante ao conhecido *Roda Viva* da TV brasileira. Participaram o dr. John Robinson; lord Stow Hill, procurador-geral; William Rees-Mogg, editor do *Times*; e Thomas Corbishley, um padre de grande influência. A equipe do programa pensou que Mick, então com 24 anos, expressaria indignação pelo que havia passado e pelo estresse causado a ele, sua família e seu trabalho. Contudo, o líder dos Stones foi seguro e gentil o tempo todo.

O editor do *Times*, William Rees-Mogg, perguntou: "Você costuma ser visto como uma pessoa rebelde. Você está se rebelando contra a sociedade?". Uma pergunta tão aberta poderia dar ensejo a uma resposta prolixa, com o jovem vocalista tentando fazer seu pensamento parar de pular para sair-se bem da situação. A clareza e objetividade de Mick na resposta – desta e das outras perguntas – demonstraram por que ele iria liderar um timaço de ricos e talentosos músicos pelas próximas cinco décadas: "Bem, todos achamos que existem coisas erradas na sociedade, mas não me sinto com conhecimento suficiente para falar sobre essas questões, tento me manter à parte de discussões sobre religião ou como a sociedade deve se comportar. Nunca me vi como um líder na sociedade, embora às vezes a própria sociedade tente empurrar as pessoas para essa posição".

Logo depois lord Stow Hill perguntou: "Eu gostaria de saber como você vê a si mesmo, de que maneira gostaria de ser compreendido, em especial pelos jovens?". "Me vejo da mesma forma de quando comecei, aos 19 anos", disse Mick, "vejo-me como alguém que quer apenas fazer o seu trabalho e se divertir um pouco, como fazem a maior parte dos jovens da minha idade."

Não demorou para que a personalidade agradável de Mick transformasse o encontro –um potencial moedor de reputação caso o entrevistado fosse um despreparado – em um bate-papo no qual ele não mais apenas respondeu perguntas, mas também mostrou-se um jovem muito bem informado sobre questões atuais, como o grande crescimento da riqueza e acesso aos meios de comunicação, os conflitos raciais nos Estados Unidos, a erosão da liberdade individual em partes da Europa e a infiltração do Estado na imprensa. O biógrafo Philip Norman salientou uma atitude de Mick Jagger que revela a personalidade de um líder treinado: "Em vez de achar graça dos tipos de perguntas e esforços empreendidos por eles, Mick viu as coisas pelo ponto de vista de seus interlocutores, concedendo o devido crédito, fazendo apontamentos de maneira gentil e construtiva".

Em tom conciliatório, o vocalista observou: "Nossos pais passaram por duas guerras mundiais e uma depressão econômica. Minha geração não sofreu nada disso. Tenho certeza de que vocês fizeram e fazem o melhor que puderam".

A parcela do público que apostava que o jovem cantor iria se ver em palpos de aranha na entrevista com pessoas inteligentes e proeminentes da comunidade percebeu que não estava diante de um desajustado, como era vista boa parte dos artistas de rock. O programa teria exposto o despreparo de um intelecto titubeante, se este fosse o caso de Mick, mas ele mostrou que sua cabeça não era uma cisterna furada que não segura água e sim a cabeça de um líder interessado em aprimorar-se constantemente. As cinco décadas depois da entrevista em 1967 mostraram que ele conseguiu.

Tudo que você precisa fazer é me chamar
Não espere muito
É só pegar o telefone
*E estarei lá**

* "All you gotta do is send for me/ Don't wait too long/ Just pick up your phone/ I'll be there", "If You Need Me", *12 x 5* (1964).

15

MAIS QUE O COMBINADO

O ancião, sentindo o peso da idade, descansa tranquilo à entrada de sua tenda. Há muito ele observa os acontecimentos e pensa em como seria importante registrar os fatos e suas impressões sobre eles para que as gerações futuras saibam como a sua época se desenvolveu. Se a exaustão o impedir de fazer isso, ninguém o culpará de nada, pois não lhe foi solicitada a trabalhosa incumbência; no entanto, um sentimento nobre o faz entrar em ação. Não há nenhum equipamento ou material disponível para o ato de escrever. Não existe computador com processador de texto, nem ao menos caneta ou lápis. Tampouco papel. A falta dos itens essenciais não impede o homem de executar aquilo que entende ser o correto.

O ancião desce até a margem de um rio onde há fartura de juncos, colhe a quantidade necessária, leva até um local apropriado e, com muita paciência, corta, um a um, o miolo da planta em lâminas bem finas que deixa ao sol. Depois de secas, ele mergulha as lâminas em água com vinagre para ali permanecerem por seis dias. Passado este tempo, as lâminas são cuidadosamente ajeitadas em fileiras horizontais e verticais e sobrepostas umas às outras. No meio dessa canseira toda, talvez o ancião tenha até pensado em deixar a ideia de lado. Mas ele prossegue. A trabalhosa sequência do procedimento exige que as lâminas sejam colocadas entre dois pedaços de tecido de algodão, para assim ficar prensadas por uma semana inteira. É com o peso da prensa que as finas lâminas se misturam completamente para formar o papiro.

Para escrever no papiro, o ancião também precisará de tinta. Não será necessário descrever aqui o trabalho paciente para obtê-la; o exposto acima é suficiente para a finalidade desta introdução: mostrar que aquilo que conhecemos da história do mundo deve-se a pessoas que, imbuídas do sentimento e da habilidade de fazer mais que o combinado, escreveram-na, o que exigiu grandes esforços sem promessa de recompensa.

Uma pequena parte da história é feita por aqueles que fazem o que foi combinado. A maior parte é feita por aqueles que fazem mais do que o combinado. Nossos antepassados estariam desculpados caso tivessem nos deixado ignorantes acerca dos fatos de seu tempo. A justificava era incontornável: não existia papel e tinta para escrever. Porém, quando ficamos confortáveis com boas justificativas, embarcamos no trem que leva à estação do fracasso.

Lembro-me de assistir há mais de duas décadas a um entrevistador perguntar a um músico por que havia saído da sua banda original para seguir carreira solo. "Saí porque perdíamos muitas oportunidades, pois qualquer coisa era motivo para não comparecerem em ensaios ou apresentações. Um dia era a sogra de um deles no hospital, no outro dia era a dor de barriga forte de outro, na semana seguinte um deles tinha um compromisso inadiável. Não dava. As justificativas eram compreensíveis e verdadeiras, mas não dava para continuar".

Quantas vezes deixamos passar a oportunidade de exercitar nossas habilidades de trabalho e liderança nos acomodando com boas desculpas? Ainda que sólidas e justas, as desculpas apenas cauterizam nossa mente, impedindo-nos de perceber novas e melhores soluções. Quem se habitua a fazer mais do que o combinado não se acomoda com justificativas e consequentemente chega mais longe.

Quem poderia culpar os Rolling Stones por cancelar um show depois de Mick Jagger ser ferido no rosto por uma cadeira jogada pelo público? Isso aconteceu em Marselha, em 1966 – a cadeira atingiu Mick embaixo do olho esquerdo, sendo preciso oito pontos para fechar o corte –, e a banda estaria solidamente justificada caso cancelasse o concerto do dia seguinte. Mas se apresentaram, com o vocalista cantando literalmente de olhos fechados.[75] Os Stones sabiam que não se constrói uma grande biografia fazendo apenas o necessário. Ninguém coloca seu nome na história – do mundo, da família, da empresa – fazendo só o combinado.

A trajetória de Mick Jagger e dos Rolling Stones está repleta de acontecimentos que fazem deles merecedores do dignificante carimbo de "Pessoas que fazem mais que o combinado" e ilustram o porquê de estarem no topo há mais de meio século. Um deles se deu em um show no Memorial Auditorium de Sacramento em 1965. A banda tocava "The Last Time" quando Keith Richards encostou o braço da guitarra no microfone e levou um choque fortíssimo, caindo desacordado. Foi conduzido de ambulância para o hospital, escapou da morte por pouco e na noite seguinte estava de volta ao palco.[76] No capítulo 2, vimos que a banda enfrentou condições muitos precárias e se apresentou no autódromo de Altamont em 1969.

A questão é: para que dar justificativas, ainda que honestas, se era possível fazer mais do que o combinado e com isso subir degraus em direção ao objetivo? A banda fez milhares de shows sem cancelamentos por quaisquer motivos que fossem. A primeira vez que isso aconteceu foi em julho de 1990 durante a turnê *Urban Jungle*; ou seja, por 28 anos, mesmo em situações plenamente justificáveis, os Stones jamais deixaram de cumprir a agenda de shows.

Se desejamos ardentemente alcançar nosso objetivo, devemos adotar a prática de fazer mais do que o combinado. Assim, nos emparelhamos com a atitude daqueles que fizeram o progresso do mundo, pois com certeza este é um hábito de todos os que legaram algo de valioso. Do zelador ao presidente, aquele que faz mais que o combinado sempre se destaca de forma positiva.

Alguns dizem que só se consegue fazer mais do que o combinado quando trabalhamos em algo de que gostamos. Mas não podemos depender disso para exercitar essa habilidade. Fazer mais do que o combinado deve se tornar como que um mantra pessoal diário; sempre que uma situação se apresentar, faremos o combinado... e um pouco mais. Seja qual for o degrau em que estivermos na escada da vida e da carreira, se agirmos assim, jamais nos faltarão oportunidades. A boa fama acompanha todos os que são disciplinados nesta prática.

Bebezinhos aos berros
Sem espaço, sem silêncio
Tenho uma TV, saxofone tocando
Gemendo e tensionando
Com problemas e conflitos[*]

---

[*] "Screaming young babies/ No piece and no quiet/ I got T. V. 's, saxophone playing/ Groaning and straining/ With the trouble and strife", "Neighbours", *Tattoo You* (1981).

TOLERÂNCIA

Caso o leitor goste de tocar violão, é provável que já tenha tentado dedilhar os conhecidos acordes de "Wish You Were Here", do Pink Floyd. A canção, um clássico do rock, deu nome ao álbum lançado pela banda em 1975. O Pink Floyd havia estourado pouco antes, com *The Dark Side of the Moon*, de 1973, vendendo dezenas de milhões de cópias no mundo inteiro. Seria de esperar que depois de um triunfo tão grande os integrantes da banda fossem poupados por um bom tempo de qualquer incômodo por parte dos executivos da gravadora. Com tanto sucesso, não precisariam tolerar pressão de lado nenhum, certo?

Vejamos o que disse um dos músicos da banda: "Após o enorme sucesso de *The Dark Side of the Moon*, tivemos que suportar uma pressão extrema para gravar outro disco com material novo tão logo fosse possível", contou o tecladista Richard Wright no documentário *The Story of Wish You Were Here*. "A pressão vinda de cima era muito forte", confirmou Peter Jenner no documentário. "Vocês fizeram um disco de sucesso, agora queremos mais um, e depois vamos querer mais outro", completou, referindo-se à pressão dos executivos da gravadora em cima dos músicos.

Então Roger Waters, principal compositor da banda, fez uma canção descrevendo ironicamente o modo xucro e excessivamente dinheirista com que eram fustigados para produzir mais e mais. "Have a Cigar" simula uma conversa em que o executivo instiga os músicos a lançar outro disco:

> Bem, sempre tive um grande respeito
> E digo com toda a sinceridade
> A banda é simplesmente fantástica
> É realmente o que penso
> Ah, aliás, quem é o Pink?
> E a gente disse o nome do jogo, rapaz?
> Chamamos de Trem da Grana Fácil
> Estamos por baixo
> Ouvimos falar da vendagem esgotada
> Vocês têm de lançar um álbum
> Vocês devem isso ao pessoal (...)
> Podemos fazer um lance gigante
> Se nos organizarmos como uma equipe*

Embora a letra da canção tenha um tom jocoso e bem-humorado, a pressão era séria. A inabilidade de tolerar tal pressão poderia fazer o líder sucumbir, e junto com ele a banda. E isto esteve muito

---

* "Well I've always had a deep respect/ And I mean that most sincerely/ The band is just fantastic/ that is really what I think/ Oh by the way, which one's Pink?/ And did we tell you the name of the game, boy/ We call it Riding the Gravy Train/ We're just knocked out/ We heard about the sell out/ You gotta get an album out/ You owe it to the people (...)/ It could be made into a monster/ If we all pull together as a team"

próximo de acontecer. "Aquilo estava acabando conosco. Creio que nesse ponto estávamos em uma encruzilhada que poderia esfacelar o grupo", disse Roger Waters no documentário.

Ser tolerante com as pressões – do mercado, dos clientes, dos prazos apertados ou dos chefes – é uma habilidade essencial não só para a vitória pessoal, mas para evitar adoecimento físico ou transtornos psicológicos. É preciso estar atento também à pressão interna: há aqueles que se cobram excessivamente, o que dá origem a muitos medos paralisantes.

"Muitos medos nascem da solidão e do cansaço. Adote uma disciplina sadia, mas não seja exigente demais. Seja gentil consigo mesmo", advertiu Max Ehrman, autor do poema "Desiderata". O médico Duílio Antero de Camargo, do Instituto de Psiquiatria do Hospital das Clínicas da Universidade de São Paulo, diz que muitas vezes as patologias psiquiátricas se desenvolvem a partir do estresse ocupacional.[77]

É fundamental avaliarmos o quanto temos condições de suportar sem causar danos a nossa psique, pois é um erro grave sermos fortes até o ponto de desabar. "De que adianta ao homem ganhar o mundo inteiro e perder a sua alma?", questiona um trecho da Bíblia (Marcos 8:36).

Em boa medida, saber o quanto suportamos diz respeito ao quanto nos conhecemos. Não disponho de muito conhecimento e vocabulário metafísico para descrever – ou, como diz Cordélia em *Rei Lear*, de Shakespeare, "não consigo trazer meu coração até a minha boca para o expressar" – o que imagino que sentiria uma pessoa que conseguisse ficar plenamente cônscia de si, autoconsciente até aquele ponto chamado de iluminação. "Até agora nunca encontrei um homem inteiramente acordado. Como poderia tê-lo encarado?", questionou o pensador Henry Thoreau.[78] Penso que Thoreau também se referia a alguém que tivesse conseguido alcançar inteiramente o resultado último da sentença filosófica "conhece a ti mesmo".

É certo que muitos chegaram bem perto da plenitude do autoconhecimento. Alguns destes, que eu chamaria de sábios, são abençoados com a dupla alegria de ter também a capacidade de externar suas impressões de forma brilhante em literatura. Transcrevo aqui um pequeno trecho de Henry Miller, um dos mais importantes escritores norte-americanos do século 20, do clássico *Trópico de Câncer*, escrito enquanto ele tentava ganhar a vida na trepidante Paris dos anos 1920. A extensa bagagem literária e a situação existencial contumazmente periclitante levavam Miller a uma inquietante e lúcida viagem ao fundo de si mesmo; o resultado foram algumas das páginas mais emblemáticas da literatura do último século.

> Há uma espécie de tumulto abafado no ar, como se a esperada explosão de acontecimentos exigisse apenas o advento de algum detalhe insignificante. Então, naquela espécie de semidevaneio que permite a alguém participar de um acontecimento e ainda assim permanecer ausente, o detalhe que estava faltando começa a coagular-se e a assumir forma, como o gelo da neve que se forma na vidraça da janela. E, da mesma maneira como aqueles padrões de gelo que parecem tão fantásticos em seus desenhos, mas que apesar disso são determinados pelas mais rígidas leis, assim esta sensação

que começou a tomar forma dentro de mim parecia também estar prestando obediência a leis incontornáveis. Todo meu ser estava reagindo aos ditames de um ambiente que nunca antes experimentara; aquilo que podia chamar de eu parecia estar se contraindo, condensando, recuando das costumeiras fronteiras do meu corpo. E, quanto mais substancial e sólido se tornava o meu interior profundo, mais delicada parecia a realidade concreta para fora da qual eu estava sendo espremido. Na mesma proporção em que me sentia cada vez mais sólido, a cena diante de meus olhos tornava-se inflada. O estado de tensão era tão finamente traçado agora que mesmo a introdução de uma ínfima única partícula estranha teria destroçado tudo. Por um instante penso que experimentei aquela ilimitada clareza que, segundo afirmam, é dada ao sábio conhecer. Naquele momento, venci a ilusão de tempo e espaço: o mundo desdobrou seu drama simultaneamente ao longo de um meridiano que não tinha eixo. Nessa espécie de eternidade instantânea, senti que todo e qualquer acontecimento ao longo da vida era supremamente justificado. Se a qualquer momento encararmos frente a frente nosso absoluto interior, daí desaparece aquele pesado véu que nos impede de chegar até aquela sabedoria que fez homens como Gautama e Jesus alcançarem a completa iluminação.[79]

Ao ler este trecho pela primeira vez pensei no quanto precisamos estar familiarizados com nosso eu mais profundo para poder descrever com tanta clareza o que se passa em nosso interior. A busca por esse despertar não deve jamais ser encarada como mera distração mística ou filosófica, ou coisa para quem tem tempo de sobra.

"Onde quer que homens civilizados tenham pela primeira vez aparecido, foram vistos pelos nativos como demônios, fantasmas, espectros. Nunca como homens vivos!", disse o filósofo Emil Cioran.[80] Eu perguntaria: é possível que os nativos, ao olhar dentro dos olhos desses recém-chegados, tenham percebido apenas corpos vazios, movidos unicamente pelo interesse imediato de suas cobiças, que de si mesmos só conheciam os instintos grosseiros e animalescos da vida, refratários às buscas mais elevadas da alma?

Quanto aos integrantes dos Rolling Stones, as muitas informações nas várias biografias não são suficientes para arriscarmos – seria bobagem de nossa parte tentar – dizer o quanto de autoconhecimento cada um deles alcançou. É possível, no entanto, apreciar a firmeza das atitudes que se originam de uma personalidade saudavelmente segura de suas emoções, de uma pessoa com bom conhecimento de si. Por isso, vamos voltar a um episódio que fez a banda suar frio por longo tempo, mencionado no capítulo 1.

Mick Jagger está com 26 anos, liderando uma banda que gera muitos empregos e movimenta milhões de libras. De repente fica sabendo que todo o dinheiro do grupo está preso nas mãos de um gerente pouco transparente; este, além de deixá-los com uma dívida milionária em impostos atrasados, também está de posse dos direitos sobre a maioria das canções compostas pela banda. O governo quer receber os débitos, e os Stones se veem sob ameaça de ter seu patrimônio desapropriado.

Recapitulemos em outros termos: Mick tem agora um bom número de famílias que contam com ele para pagar as contas do mês, a estrutura que ele e seus amigos montaram precisa do dinheiro para se manter em funcionamento, os parceiros de trabalho nem imaginam que as contas da banda estão no vermelho e que estão todos devendo milhões em impostos; e sim: é ele quem terá de dar a medonha notícia a Keith, Bill e Charlie. Vamos imaginar juntos: qual seria a medida da pressão que Mick estaria sofrendo naquele momento?

No mesmo período o namoro de quatro anos de Mick Jagger e Marianne Faithfull estava em crise. Alguns dizem que ele gostava muito de Marianne e seus planos desde o início eram casar e ter filhos, mas que por um ou outro motivo ela sempre recusou. Agora o maior estremecimento na relação seria porque Mick queria levar as coisas o mais a sério e profissionalmente possível, enquanto ela entregava-se às delícias do *grand monde* e das festas intermináveis e, ao contrário dele, não se esforçava para ficar longe de aditivos proibidos. Mesmo com o envolvimento romântico já um pouco frio, por lealdade ele fazia o possível para que ela voltasse a ser a artista responsável e talentosa que havia sido um tempo atrás.

Em meio aos problemas, Mick negociava a ida dos Stones para a Atlantic Records, chefiada por Ahmet Ertegun, e recebia orientação de Rupert Loewenstein, que seria consultor e gerente de finanças da banda de 1968 até 2007. À medida que tomava forma a estratégia para salvar os Stones da bancarrota, Marianne, acompanhando de perto os movimentos, sentiu que não teria lugar neles. Ela tinha consciência de que Ertegun e Loewenstein viam-na como um obstáculo à realização do plano por sua resistência em sair da Inglaterra (e a banda teria que morar na França por uns tempos) e também pelo desinteresse em ficar longe da drogadição. Mick, embora desencantado, resistia em deixar a namorada. Ele sabia, por temperamento e nobreza, que "não se deve acrescentar aflição ao aflito", conforme escreveu Cervantes em *Dom Quixote*.

Marianne Faithfull admitiu posteriormente que a situação colocou-a em um estado ainda maior rebeldia e que fazia de tudo para constranger e prejudicar Mick na frente daqueles empresários que o tempo mostraram ser honrados cavalheiros. A atitude de Marianne é comum nas pessoas aflitas que, levadas por má imaginação, fazem coisas despidas de razão. Com tudo isso, Mick ainda resistiu por bastante tempo ao apelo dos empresários para que a deixasse e continuou, como disse ela anos depois, infinitamente paciente e tolerante: "Eu o coloquei num tremendo inferno. Criei todos os problemas possíveis para ele. E durante tudo isso ele foi temperante como um monge".[81]

Ao lapidar sua liderança, Mick Jagger desenvolveu a capacidade de lidar com as pressões mais desgastantes, talvez por ter percebido já no início que não iria longe sem ter a tolerância necessária para suportar o ritmo cotidiano do *show business*. Em "Beast of Burden", do álbum *Some Girls*, de 1978, ele cantaria: "Minhas costas são largas, mas está machucando (...). Serei forte o bastante?".[*]

Mick mostrou-se sabedor de que o triunfo traz junto a necessidade de fortalecimento, tanto para usufruir corretamente do sucesso como para aguentar os eventuais pesos extras sobre as costas. Percebe-se neste e em outros episódios que ele tem o nível necessário de tolerância para exercer uma liderança eficaz.

---

[*] "My back is broad but it's a hurting (...)/ Am I hard enough".

Em sua pesquisa, Napoleon Hill aborda ainda mais um sentido de tolerância, aquele relacionado à necessidade de aceitar opiniões, crenças ou comportamentos diferentes daqueles a que estamos acostumados. Penso ser desnecessário abordar este aspecto aqui.

Bem, todos nós precisamos de alguém em quem

possamos nos apoiar

Se você quiser, pode se apoiar em mim*

---

* "Well, we all need someone we can lean on/ And if you want it, you can lean on me". "Let It Bleed", do álbum *Let It Bleed* (1969).

16

A REGRA DE OURO

Em junho de 2007 uma estação de rádio dos Estados Unidos reuniu 1.683 guitarristas profissionais e amadores em um estádio de futebol para tocarem juntos "Smoke on the Water", da banda Deep Purple. Dois anos depois, na Polônia, reuniram-se 6.346 guitarristas para fazer o mesmo, acontecimento registrado pelo *Guinness Book*. Esta canção foi composta em uma situação tão insólita que gerou um livro.[82]

Tudo começou em 4 de dezembro de 1971, quando o Deep Purple desembarcou em Montreux, na Suíça, para gravar o álbum *Machine Head*. O disco seria gravado no teatro onde estava se realizando o Montreux Jazz Festival. No show de Frank Zappa, na última noite do festival, um fã empolgado causou acidentalmente um incêndio no local.

O Deep Purple assistiu ao cassino arder em chamas e vir abaixo. A cena foi a inspiração para "Smoke on the Water", o maior *hit* da banda, cujo *riff* inicial foi eleito um dos cinco melhores *riffs* **de** guitarra de todos os tempos.

Para entender o porquê de o episódio estar neste capítulo, comecemos com a letra da canção:

Fomos para Montreux

Às margens do lago Genebra

Para gravar um disco com um estúdio móvel

Não tínhamos muito tempo

Frank Zappa e os Mothers

Estavam no melhor local do pedaço

Mas algum idiota com um sinalizador

Incendiou o lugar até o chão

Fumaça sobre as águas, fogo no céu

Fumaça sobre as águas

(...)

Tivemos que encontrar outro lugar

Mas nosso tempo na Suíça estava se esgotando

Parecia que perderíamos a corrida

Acabamos no Grand Hotel

Estava vazio, gelado e abandonado

Mas com o caminhão-estúdio dos Rolling Stones

do lado de fora

Fizemos nossas músicas lá*

O caminhão-estúdio citado na música era uma inovação, um equipamento dispendioso que poucas bandas tinham. O Deep Purple

---

* "We all came out to Montreux/ On the Lake Geneva shoreline/ To make records with a mobile/ We didn't have much time/ Frank Zappa and the Mothers/ Were at the best place around/ But some stupid with a flare gun/ Burned the place to the ground/ Smoke on the water, fire in the sky/ Smoke on the water (...)/ We had to find another place/ But Swiss time was running out/ It seemed that we would lose the race/ We ended up at the Grand Hotel/ It was empty, cold and bare/ But with the Rolling truck Stones thing just outside/ Making our music there"

conseguiu gravar o álbum no prazo porque os Stones haviam alugado o estúdio móvel, que só precisou ser levado para o novo local de gravação. É sempre bom ter por perto alguém que compartilha honestamente do famoso "uma mão lava a outra, e as duas juntas lavam o rosto".

Quando Mick Jagger canta "Vizinhos, façam aos estranhos, façam aos vizinhos o que fazem para si mesmos",[*] ele ecoa um conceito moral e prático que alguns estudiosos chamam de Regra de Ouro, também chamada de ética da reciprocidade. Disponibilizar o caminhão-estúdio foi colocar em ação este preceito. Embora não seja um conceito religioso, a Regra de Ouro está na base da maioria das grandes religiões. No hinduísmo: "E o resumo de tudo é: não faças aos outros nada que te magoasse se te fizessem a ti" (Mahabharata 5, 1517). No cristianismo: "Tudo o que vós quereis que os homens vos façam, fazei-lho também vós, porque esta é a lei e os profetas" (Mateus 7:12). No budismo: "Não trates os outros como não gostarias que te tratassem" (Udana-Varga 5, 18). A sentença é encontrada, de modos diferentes, em quase todas as religiões.

É esse espírito que deve guiar todas as ações do líder que almeja um triunfo sólido e perene. A sagacidade – ou mesmo um aceitável desejo de glória e tudo mais que se refira à busca do êxito – deve se submeter a este princípio, pois o ciclo da vida é implacável, e é bem conhecido o adágio que diz que tudo o que plantarmos colheremos. Em *Hamlet*, de Shakespeare, o personagem principal diz: "Um homem pode pescar com o verme que comeu um rei e depois comer o peixe que comeu o verme. Isso nada diz, exceto que um rei pode, num

---

[*] "Neighbors, do unto strangers/ Do unto neighbors/ What you do to yourself", trecho de "Neighbours", do álbum *Tattoo You* (1981).

certo tempo, fazer uma bela viagem pelas tripas de um mendigo". Ninguém jamais atinge alturas de poder que o torna inatingível a essa lei de retorno.

"Serei o seu espelho, refletirei o que você é, caso você não saiba", diz uma canção do legendário Velvet Underground,* ecoando aquilo que Napoleon Hill afirma: devemos aplicar a Regra de Ouro não só às nossas ações, mas também aos nossos pensamentos. "Devemos pensar dos outros", escreveu ele, "apenas o que desejamos que pensem de nós."

Penso que a maioria das pessoas tem maiores pendores de desejar o bem do que o contrário. Não fosse assim, todo e qualquer ambiente de convivência humana soaria mais ou menos como a canção "The Trooper", da banda Iron Maiden:

Você vai disparar seu mosquete, mas vou transpassá-lo (...)
A corneta soa, e os tiros começam
Mas neste campo de batalha ninguém vence**

Em meio a tantas notícias ruins, que parecem sugerir um campo de guerra constante, existe uma imensidão de acontecimentos não noticiados que mostram o quanto de ternura e gentileza ainda há no mundo. "Não caia na descrença, a virtude existirá sempre", aconselhou o poeta Max Ehrmann em "Desiderata", lembrando: "Muita

---

* "I'll be your mirror/ Reflect what you are in case you don't know", trecho de "I'll be Your Mirror", de *The Velvet Underground & Nico* (1967), aclamado como um dos álbuns mais influentes de todos os tempos.
** "You'll fire your musket, but I'll run you through (...)/ The bugle sounds and the charge begins/ But on this battlefield no one wins", do álbum *Piece of Mind* (1983).

gente luta por altos ideais e em toda parte a vida está cheia de heroísmos". É por isso que as coisas vão em frente mesmo com tantas forças contrárias.

Manter em mente o axioma de pensar dos outros apenas o que desejamos que pensem de nós exige um pouco de disciplina, pois na vida profissional e pessoal há conflitos morais angustiantes; o caminho do bem é pontilhado de inevitáveis hesitações, áreas cinzentas, tentativas e erros. Pela estrada da experiência é que se dissipa aos poucos a névoa das aparências, e vamos percebendo melhor as coisas. Os chamados códigos de conduta, transmitidos pela educação e pela cultura, funcionam como quadros de referência amplos e genéricos, não cobrem a miríade de situações e singularidades do cotidiano onde frequentemente somos espremidos entre deveres contraditórios. Viver a Regra de Ouro é uma questão de "discernimento pessoal, é busca de uma meta de perfeição que só aos poucos vai se esclarecendo e encontrando seus meios de realização entre as contradições e ambiguidades da vida".[83]

Se nos guiamos pelo conceito aqui descrito, toda confusão moral se torna nula, pois passamos a buscar a coisa certa baseados nas situações concretas da vida. Por mais elevados que sejam os nossos conceitos morais, ainda assim são regras gerais abstratas, que muitas vezes se esboroam no confronto com a realidade.

Na história do patriarca Jó, vemos alguns personagens fazendo o caminho inverso da Regra de Ouro. Ao saber da tragédia que havia se abatido sobre Jó, Elifaz, Bildade e Zofar foram até sua casa e inicialmente agiram como os melhores amigos. Passado algum tempo, porém, adotaram a atitude de algozes, acrescentando aflições a quem já estava esmagado pelo infortúnio e violando insistentemente as leis da cortesia com suas acusações. Poderiam ter cultivado as sementes iniciais de solidariedade e compaixão, mas preferiram arrancá-las e plantar sementes de recriminação e desdém.

Elifaz, Bildade e Zofar começaram a medir a situação de Jó baseados em regras engessadas, desandando em moralismo simplório. Diz-se que moralidade sadia difere de "moralismo", pois este consiste em considerações morais inconsistentes, separadas do verdadeiro sentimento moral e baseadas em preceitos irrefletidos, sem levar em conta a particularidade e a complexidade de cada situação julgada. O moralismo é mais um sistema de cobrança da conduta alheia do que um sentimento sadio de moralidade.

Sabemos que nossas atitudes, falas e pensamentos são sementes cujo fruto invariavelmente retorna para nós – às vezes quase que na mesma hora, como em um episódio que entrou para o anedotário da música pop envolvendo Mick Jagger e Charlie Watts em 1984. O baterista, que estava enfrentando problemas no casamento, reagiu de maneira totalmente inusitada a uma brincadeira de Mick. A banda estava em Amsterdã e se reuniu na suíte do vocalista, exceto Charlie. Mick então ligou para o quarto deste e falou: "Onde está meu baterista?". Não obteve resposta imediata, mas depois de alguns minutos Watts chegou, caminhou até onde Mick estava sentado, puxou-o pelas lapelas do paletó e deu um soco que o fez derrubar um prato de sanduíches.

"Nunca mais me chame de 'seu' baterista", rosnou Watts, saindo da sala antes que Mick tivesse tempo de dizer qualquer coisa. Quando este recuperou o equilíbrio, tentou amenizar o incidente, comentando que Charlie andava um pouco nervoso demais naqueles dias. Minutos mais tarde, Charlie ligou para dizer que estava voltando. "Ele está vindo para se desculpar", disse Mick. Em vez disso, Watts entrou na sala e lhe deu outra pancada forte: "Só para você não esquecer".[84]

Quanto a nós, é bom lembrarmos sempre de que a Regra de Ouro deve ser o *software* básico rodando em nosso sistema operacional, pois, como cantaram os Beatles em "The End", "No final, o amor que você recebe é igual ao amor que você dá".*

---

* And in the end/ The love you take/ Is equal to/ The love you make", do álbum *Abbey Road* (1969).

EPÍLOGO

Escorrida quase toda areia da ampulheta, delineia-se o fim da nossa história, e, ao término de qualquer projeto, é quase automático lembrarmo-nos lá do início, onde a semente imaginativa começou a germinar.

Quando Jamil falou pela primeira vez sobre escrevermos este livro, pus-me a puxar na lembrança algumas memórias antigas relacionadas aos Rolling Stones, e uma das mais remotas me fez voltar trinta anos no tempo, num finalzinho da manhã de domingo, sentado no chão da sala com uma leva de discos no colo para fazer uma atividade costumeira e prazerosa: separar o que eu ouviria pelas próximas horas ou ao longo do dia todo. Naquela ocasião eu tinha um álbum específico em mente, mas enquanto ele não vinha eu ia apartando alguns outros: *Marquee Moon*, do Television; *Morrison Hotel*, dos Doors; *Desire*, de Bob Dylan; uma sessão com Elomar Figueira Mello, Arnaldo Baptista, Walter Franco; e o recém-chegado *O adeus de Fellini*, que peguei na troca por três fitas K7 onde misturava-se, tal como leite condensado com torresmo, Alex Harvey Band com Jorge Mautner e Dead Kennedys com Ednardo.[85]

Tive de pegar outra leva de discos na estante para encontrar o que eu procurava. A razão da insistência é que na noite anterior alguém havia perguntado se eu havia reparado na semelhança, quase plágio, de "Gita", sucesso de Raul Seixas, com "No Expectations", que abre o álbum *Beggars Banquet*, dos Stones. Fiquei surpreso, pois já havia escutado muitas vezes aquele disco sem perceber a similaridade. Recordo este fato, dentre tantos outros em que os Rolling Stones foram a trilha sonora da minha história, para ilustrar o quanto eles influenciaram a música feita no mundo todo.

De volta ao presente, à medida que os meses passavam, crescia a quantidade de material de pesquisa selecionado para o livro. Numa das várias reuniões para exame do andamento do projeto, enquanto conversávamos sobre um dos capítulos prontos, surgiu a questão inevitável na feitura de qualquer livro: "E agora, desse material todo, o que entra e o que não entra na redação final?".

A pergunta nos fez lembrar uma conversa entre Dom Quixote, Sancho Pança e o bacharel Sansão Carrasco quando o cavaleiro andante soube que haviam escrito um livro sobre as suas aventuras:

> "Diga-me, senhor bacharel", disse Sancho, "por acaso entrou aí nessas histórias aquela aventura dos arrieiros, quando o nosso bom cavalo Rocinante embestou-se de fugir com as éguas?
>
> "Não deixou o escritor coisa alguma de fora", respondeu Sansão; "escreveu ele tudo, e tudo aponta até o caso dos saltos para o alto que tu, bom Sancho, deu na manta."

"Eu não dei saltos na manta", observou Sancho, "mas no ar, sim, e ainda mais do que eu queria, pois me doeram os lombos."

"Segundo imagino", disse Dom Quixote, "não há história humana em todo o mundo que não tenha os seus percalços e fatos que trazem deméritos."

"Sim! Com tudo isso", respondeu o bacharel, "dizem alguns que leram a história que preferiam que os autores tivessem esquecido de algumas das muitas pauladas que em diferentes situações deram no senhor Dom Quixote."

"Mas é esta a verdade da história", disse Sancho.

"Ora, são verdadeiras", retrucou Dom Quixote, "mas poderiam deixá-las no silêncio, por justeza, pois algumas ações que não mudam o fundo verdadeiro da história não haverá motivo para se escreverem caso estas redundem em menosprezo do protagonista. É certo que o valente Ulisses não foi tão prudente e heroico quanto o descreveu Homero."

"Assim é", redarguiu Sansão Carrasco, "mas uma coisa é escrever como poeta e outra como historiador; o poeta pode contar as coisas não como foram, mas como deviam ser, e o historiador há de escrevê-las não como deviam ser, mas como foram, sem acrescentar nem tirar da verdade a mínima coisa."

"Pois se esse senhor escritor anda a dizer verdades", disse Sancho, "é bem certo que, entre as pauladas que apanhou meu amo Dom Quixote, se contem também as minhas, porque nunca o meu amo tomou surra que eu também não tenha sofrido a tunda junto, mas não há de que maravilhar-me, pois, como diz o mesmo senhor meu, da dor da cabeça hão de participar os membros."

"Sois um intrujão, Sancho", acudiu Dom Quixote, "e não vos falta memória quando quereis tê-la."

"Eu não conseguiria esquecer as bordoadas que me deram", disse Sancho, "pois trago ainda as marcas delas nas minhas costelas."

"Sancho", tornou Dom Quixote, "por favor, não interrompais novamente o senhor bacharel, a quem peço que continue a narrar-me o que se diz de mim na referida história."

Num momentâneo devaneio em meio ao trabalho de classificar os causos em cada capítulo, rimos ao dizer que, caso tivessem os céus nos permitido ter uma fração do talento de Cervantes, talvez este livro chegasse às mãos do líder aqui biografado e causasse nele a mesma reação que teve o estimado cavaleiro andante: a curiosidade sobre o que entrou e o que ficou de fora na história. Dom Quixote mostrou inquietação com a possibilidade de que alguma notícia desairosa manchasse a sua reputação.

Um leitor mais cético talvez faça a mesma observação, ao lembrar que este livro é sobre um *superstar* do rock, e estes costumam ter uma folha corrida recheada de escândalos de todo tipo. Justifico-me, lembrando o que disse no prólogo: este livro foi composto em apreciação da excelente capacidade de liderança de Mick Jagger, queremos apregoar que o líder que adquirir e treinar estas habilidades certamente aumentará seu desempenho. Um líder assim será seguido porque as pessoas querem seguir e imitar líderes treinados, virtuosos e fortes.

No início, dissemos que só dedicaríamos tempo para escrever este livro caso encontrássemos habilidades e competências na vida de Mick Jagger que pudessem servir de exemplos de comportamento na arte de liderar. Um padrão de comportamento eficaz foi facilmente encontrado em suas atitudes públicas e conhecidas; quanto a nós todos, a questão é como absorver destes exemplos aquilo que possa ser incorporado em nosso comportamento cotidiano para aumentar nossa eficácia.

Talvez tenhamos falado de nosso biografado no limite da amplitude que a verdade comporte sem declínios na correção. Pode ser que ele tenha muito mais defeitos em sua liderança do que supomos. No entanto, as habilidades demonstradas são factuais e elas o sustentariam ainda que Mick Jagger fosse um cara de pouquíssimos talentos. Nossa reverência se deve ao mérito dele como líder, e cuidamos para que nossa admiração pelo músico não deturpasse nossa avaliação de sua liderança.

Tendo chegado até aqui, dificilmente o leitor ainda se perguntaria sobre a utilidade de escrever sobre líderes de bandas de rock quando há muitos bons exemplos de liderança empreendedora em ramos empresariais mais comuns. Ocorre que a natureza do multimilionário negócio chamado rock 'n' roll fazia com que as bandas entrassem em rápido processo de dissolução assim que atingiam o triunfo comercial, pois este trazia a tiracolo uma enorme quantidade de dinheiro, distrações e hábitos destrutivos.[86] O despreparo para lidar com o sucesso dissolvia as bandas ainda em plena capacidade produtiva. Isso não é muito diferente em outros negócios e atividades empreendedoras. Não é incomum pessoas iniciarem um processo autodestrutivo assim que o dinheiro começa a entrar em grande quantidade.

Um dos aspectos do despreparo em manter os negócios em andamento assemelha-se à descrição que alguém fez de Céfalo, personagem da *República*, de Platão: um homem que era honesto apenas por costume, mas que jamais teve interesse pelo autoaperfeiçoamento, sem real afeição pela verdade e indolente quanto ao aprimoramento do caráter. É bem verdade quando se diz que só temos de fato uma habilidade quando a percebemos e começamos a cultivá-la. E é fácil lembrarmos de pessoas que tinham determinado talento ou habilidade e perderam-no pelo desuso. Por isso, a insistência no uso do verbo treinar ao longo deste livro.

O líder antenado sabe que não basta aprender técnicas de comando, pois estas se desgastam, exigindo uma busca constante por novidades. Porém, treinadas, as habilidades sobre as quais falamos levarão o líder a uma maior sabedoria na condução de sua vida e de suas equipes. Já se disse em algum lugar que o liderado não segue o que o líder diz, mas segue o que o líder "é". O líder de objetivos vacilantes terá equipes vacilantes que viverão no afã de satisfazerem-se em seu pequeno círculo de experiências e necessidades imediatas, sem ao menos querer saber se existe algo maior para além disso.

Com esforço e disciplina, depois de atravessar a vereda de espinhos que a vitória exige, chegaremos ao fim dizendo o mesmo que Volumnia em *Coriolano*, de Shakespeare: "Tive vida suficiente para ver concluído o edifício dos meus anseios". Para isso, esforcemo-nos para que nossas metas se identifiquem sempre com as de nossa comunidade, do bairro ao país, e também com os desígnios das boas e úteis virtudes.

Esperamos que este livro alcance a sua finalidade, que é tornar o leitor ainda mais aberto à ideia de que é possível tornar-se um líder de alto desempenho. Que este trabalho alcance o efeito que desejamos, que é levar o leitor a ter um desejo ardente de conseguir dominar todas as habilidades aqui listadas e chegar ao seu objetivo.

Para aqueles que perguntam se Mick Jagger e a banda chegarão ativos aos sessenta anos de carreira – coisa pela qual torcemos –, respondo com mais um riscado de Shakespeare, proferido por Cássio em *Otelo*, e com ele me despeço: "O navio deles é de vergas bem fortes e o capitão é especialista, por isso, minha expectativa, sem ser extrema, tem boa base".

NOTAS

PRÓLOGO

[1] D. S. Penner em artigo para Unisa. O autor se propõe a fazer um super-resumo das últimas ondas de estilos de liderança.

[2] *Whiplash.net*, https://whiplash.net/materias/news_794/239370-rollingstones.html.

[3] Os vereadores de Dartford decidiram nomear todas as ruas de um novo bairro na cidade com nomes de músicas da banda; http://música.terra.com.br/noticias/0,,OI3389123-EI1267,00-Músicas+dos+Rolling+Stones+viram+nome+de+ruas+em+cidade+natal.html.

[4] Em 29 de outubro e 1º de novembro de 2006, os Rolling Stones fizeram apresentações beneficentes no Beacon Theatre de Nova York em comemoração aos 60 anos do então presidente norte-americano Bill Clinton. Os concertos são a base de *Shine a Light*, documentário do cineasta Martin Scorsese. O concerto teve *set list* diferente dos outros shows da turnê a pedido de algumas personalidades que estavam no teatro naquela noite, incluindo Clinton e o ex-presidente da Polônia Aleksander Kwasniewski. Clinton fez uma breve fala no palco antes de a banda começar a tocar.

[5] *The Rolling Stones: A biografia definitiva*, Christopher Sandford, p. 28, Record.

[6] Ibid. p. 38.

[7] Ibid, p. 409.

[8] Ibid., p. 275.

[9] Entrevista concedida a Caetano Veloso e Roberto D'Ávila em 1983, em Nova York.

MENTE MESTRA

[10] *Mick Jagger*, Philip Norman, capítulo 14, Companhia das Letras.

[11] *Os Magnatas*, Charles R. Morris, L&PM.

[12] Os direitos de músicas como "Satisfaction (I Can't Get No)" e outras do período entre 1963 e 1971 até hoje não pertencem a Mick Jagger e Keith Richards, mas à ABKCO, empresa de Allen Klein (morto em 2009), que lança regularmente coletâneas com os principais clássicos de sua propriedade.

[13] *Rolling Stone*, edição especial de colecionador nº 10, 2015, p. 32. Na reportagem, Andy Johns, engenheiro de som que trabalhou com grandes artistas do século 20, como Jimi Hendrix, Led Zeppelin e Van Halen, e acompanhou os Rolling Stones na gravação de *Exile on Main St.*, fala do quanto ficava impressionado com a fusão de mentes na banda: "A gente não conseguia gravar um *take* até Mick ou Keith olhar para Charlie e chegar perto dele; então Bill se levantava da cadeira, estimulado; aí todos eles se transformavam nos Rolling Stones. Em boa parte do tempo eram notas e acordes soltos, sem importância, mas, se Bill levantava da cadeira e Keith estava olhando firme para Mick e Charlie, você sabia que o momento criativo estava chegando perto de algo grande. Aquilo era sempre uma experiência extraordinária". A *Rolling Stone* não tem nenhuma ligação empresarial ou institucional com a banda. O nome foi uma homenagem dos fundadores da revista, fãs da banda. A *Rolling Stone* foi lançada em 1967.

[14] Ibid., "As 100 melhores canções dos Rolling Stones".

[15] *Rolling Stone*, edição 124, dezembro de 2016, p. 54.

[16] Em 1969, muita gente considerou os ingressos da turnê norte-americana dos Rolling Stones caros demais. A banda então decidiu encerrar a excursão com um show gratuito em San Francisco. O Greatful Dead associou-se à empresa Dirt Cheap Productions para organizar o evento. O concerto foi originalmente programado para o campus da Universidade Estadual de San Jose, mas, devidos a desacertos entre as partes, foi transferido para a pista de corridas Altamont Speedway, na cidade de Tracy, Califórnia. A mudança em cima da hora resultou em muitos problemas logísticos, incluindo a falta de instalações básicas como banheiros portáteis e tendas médicas.

[17] *Rolling Stone*, maio de 1972; https://www.pedrarolante.com.br.

[18] *The Rolling Stones: A biografia definitiva*, Christopher Sandford, pp. 79–80.

[19] *O livro das citações: Um breviário de ideias replicantes*, Eduardo Giannetti, p. 219, Companhia das Letras, 2008.

[20] "Not Fade Away", de Buddy Holly, foi gravada em 1957 por ele e sua banda The Crickets. A canção foi regravada pelos Rolling Stones e muitas outras bandas e artistas, incluindo Status Quo, Byrds e Everly Brothers; já foi apresentada em shows por artistas como U2, Sheryl Crow, Deep Purple, Jon Bon Jovi, Bob Dylan, Elvis Costello, Simon e Garfunkel, Bruce Springsteen, James Taylor e Jack White.

[21] Harold Bloom nasceu em 1930 em Nova York. É professor da Yale University, crítico literário e autor de diversas teorias sobre a influência da literatura. No ensaio *Onde encontrar a sabedoria*, discorre longamente sobre o patriarca Jó. Sua obra mais conhecida é *O cânone ocidental*, sobre os cem livros que de certa forma moldaram o mundo ocidental nos últimos vinte séculos.

[22] Voo de Bogotá para Nova York que caiu em 25 de janeiro de 1990, matando 73 e ferindo 85 pessoas; https://translate.

google.com.br/translate?hl=pt-BR&sl=en&u=https://en.wikipedia.org/wiki/Avianca_Flight_52&prev=search.

[23] *Outliers: Fora de série*, Malcolm Gladwell, Sextante, 2011. Na excelente obra, o jornalista e escritor britânico discorre sobre muitos acidentes provocados pela "comunicação mitigada". Gladwell vive e trabalha em Nova York, é colunista da prestigiada revista *The New Yorker* desde 1996 e autor também de *O ponto da virada*, *Blink: a decisão num piscar de olhos*, *O que se passa na cabeça dos cachorros* e *Davi e Golias: a arte de enfrentar gigantes*.

ENTUSIASMO

[24] Escritor, artista e editor de histórias em quadrinhos, Joe Simon criou muitos personagens importantes dos quadrinhos nas décadas de 1930 e 40; com Jack Kirby, cocriou o Capitão América. Foi o primeiro editor da editora que mais tarde se tornou a Marvel Comics.

[25] "Funziona Senza Vapore" abre o álbum de estreia da banda paulistana Fellini, *O adeus de Fellini*, de 1985.

[26] *Mick Jagger*, Philip Norman, capítulo 18.

[27] *The Rolling Stones: A biografia definitiva*, Christopher Sandford, p. 448.

OBJETIVO BEM DEFINIDO

[28] *Metas – Como conquistar tudo o que você deseja mais rápido do que jamais imaginou*, Brian Tracy, Best Seller (2005).

[29] *Keith Richards: Under the Influence*, documentário produzido pela Netflix, dirigido por Morgan Neville. Ver também *Mick Jagger e os Rolling Stones*, Willi Winkler, Larousse, p. 11.

[30] *Mick Jagger e os Rolling Stones*, Willi Winkler, Larousse, p. 11.

[31] *Rolling Stone*, edição 124, dezembro de 2016, p. 52.

[32] Ibid., pp. 53–5.

[33] "O abandono dos ideais", Olavo de Carvalho; http://www.olavodecarvalho.org/o-abandono-dos-ideais/.

PROVEITO DO FRACASSO

[34] *Mick Jagger*, Philip Norman, capítulo 8.

[35] Ibid.

[36] Ibid.

[37] Ibid., capítulo 9.

[38] *O filho eterno*, Cristovão Tezza, Record, p. 23.

[39] "Melhor é ir à casa onde há luto do que ir à casa onde há banquete, porque naquela está o fim de todos os homens, e os vivos o aplicam ao seu coração. Melhor é a mágoa do que o riso, porque com a tristeza do rosto se faz melhor o coração", Eclesiastes 7:2,3.

[40] Ato 5, cena 2 de *Antônio e Cleópatra*, de Shakespeare. "Como uma ação grandiosa pode ser feita por um meio humilde! Trouxe-me a liberdade. Continuo na mesma decisão, sem coisa alguma de mulher ter em mim. Tal como o mármore, sou da cabeça aos pés: inabalável", diz Cleópatra diante da morte iminente.

HÁBITO DA ECONOMIA

[41] *The Rolling Stones: A biografia definitiva*, Christopher Sandford, p. 200.

[42] *Mick Jagger*, Philip Norman, capítulo 13.

[43] http://infograficos.estadao.com.br/especiais/paul-e-mick/infancia-de-mick-jagger.html.

[44] James Cleveland (1931–1991) foi um pastor norte-americano, considerado a força propulsora da criação do gospel moderno e um dos maiores cantores do gênero, trazendo ousadia estilística, com influências do jazz e da música

pop. Nascido em Chicago, começou a cantar como soprano na infância, na igreja batista. Na adolescência, forçou em excesso as cordas vocais, ficando com uma voz grave inconfundível que se tornou sua marca registrada. A mudança na voz levou-o a se concentrar nas habilidades como pianista e mais tarde como compositor e arranjador.

[45] *Mick Jagger e os Rolling Stones*, Willi Winkler, p. 138.

[46] Mick Jagger, Marianne Faithfull, Keith Richards e Anita Pallenberg passaram o réveillon de 1969 no Rio de Janeiro, depois foram para São Paulo. Lá o banqueiro Walther Moreira Salles, amigo de Jagger há tempos, ofereceu sua fazenda. "Eles queriam fugir do alvoroço", conta Matheus Carvalho, jornalista e cocriador do documentário *Aliens 69: Quando os Rolling Stones invadiram Matão*. A visita deveria ser sigilosa, mas a chegada dos artistas movimentou a cidade. Segundo os moradores, os "aliens", como eram chamados pelos trajes diferentes, andaram pelo centro da cidade e visitaram os principais pontos históricos. Na fazenda, foram vistos na piscina. No subsolo da casa, descansavam e tocavam violão e guitarra. "Eles queriam saber tudo, então comecei a levar todo dia o jornal de manhã; só eu podia entrar lá, eram pessoas bem bacanas", contou Wanderley Zanoni, ex-funcionário da fazenda.

[47] Público e crítica ficaram impressionados quando Mick Jagger compôs "As Tears Go By" com apenas 20 anos de idade. A canção, feita para Marianne Faithfull, tem letra e melodia tão carregadas de sentimento que "parecia ter sido composta por uma mulher madura", disse um crítico.

[48] Os experimentos mais citados nestes casos são o do efeito placebo, muito observado em estudos científicos para verificar a eficácia de algum medicamento, nos quais um grupo de pessoas recebe um comprimido inócuo, sem qualquer propriedade farmacológica, e apresenta melhorias clínicas

apenas por acreditarem que estavam tomando o remédio propriamente dito.

Outro experimento muito curioso é o do dr. Hans Jenny, médico e cientista que cunhou o termo *cymatics* para descrever um interessante fenômeno dos efeitos das ondas sonoras sobre a matéria. Jenny mostra que as vibrações (comprimento das energias da voz ou de notas musicais) afetam direta e concretamente a substância onde a vibração é projetada; https://www.youtube.com/watch?v=W6PSA5bYTxs&t=34s.

[49] *O livro das citações: Um breviário de ideias replicantes*, Eduardo Giannetti, p. 188.

[50] Este parágrafo é inspirado em uma frase de *O despertar dos mágicos*, de Louis Pauwels e Jacques Bergier (editora Difel). O livro é um garimpo por áreas de conhecimento pouco exploradas nas fronteiras da ciência e das grandes tradições místicas.

[51] *The Rolling Stones: A biografia definitiva*, Christopher Sandford, pp. 103–4.

[52] *Mick Jagger*, Philip Norman, capítulo 13.

TER INICIATIVA

[53] *Lincoln, esse desconhecido*, Breckenridge Carnagey (também conhecido por Dale Carnegie), Companhia Editora Nacional.

[54] Em 2012, um breve levantamento de uma publicação londrina apontou mais de cinquenta produtos com a "lapping tongue", a famosa língua dos Stones. A Microsoft pagou US$ 4 milhões para usar a canção "Start Me Up" no lançamento do Windows 95, e a Apple desembolsou quantia parecida pelo uso de "She's a Rainbow" para comercializar os Macintosh coloridos. Há seis anos o museu londrino V&A anunciou que comprara a arte original da famosa logomarca por 92,5 mil libras. O logotipo hoje é símbolo de um negócio que movimenta centenas de milhões de dólares anualmente.

[55] *Variações 2*, Miguel Reale, p. 4, Academia Brasileira de Letras.

[56] O British rhythm and blues foi um movimento musical na Inglaterra do início dos anos 1960 que imitava o blues norte-americano e os pioneiros do rock and roll, como Muddy Waters, Chuck Berry e Bo Diddley. Rolling Stones, Animals, Spencer Davis Group e Yardbirds estavam entre os principais nomes do movimento; https://translate.google.com.br/translate?hl=pt=-BR&sl=en&u-https://en.wikipedia.org/wiki/British_rhythm_and_blues&prev=search.

PERSONALIDADE AGRADÁVEL

[57] Livre adaptação do ato 1, cena 1 de *Henrique IV*, Parte II, de Shakespeare.
[58] *Mick Jagger*, Philip Norman, capítulo 6.
[59] http://rollingstone.uol.com.br/edicao/49/visionario-americano#imagem0.
[60] *Mick Jagger*, Philip Norman, capítulo 11.

FORÇA CÓSMICA DO HÁBITO

[61] https://www.metatube.com/en/videos/50715/Grammy-Awards-2011-Live-Performance-By-Mick-Jagger-Everybody-Needs-Somebody-to-Love/.
[62] Os oito filhos de Mick Jagger são: Karis Hunt Jagger, com Marsha Hunt; Jade Sheena Jezebel Jagger, com Bianca Jagger; Elizabeth 'Lizzie' Scarlett Jagger, James Leroy Augustin Jagger, Georgia May Ayeesha Jagger e Gabriel Luke Beauregard Jagger, com Jerry Hall; Lucas Maurice Morad Jagger, com a brasileira Luciana Gimenez; e Deveraux Octavian Basil Jagger, com Melanie Hamrick.
[63] *The Rolling Stones: A biografia definitiva*, Christopher Sandford, p. 474.
[64] Os hábitos saudáveis de Mick Jagger desde a década de 1970 são bem conhecidos no meio roqueiro. Muito cedo ele percebeu a importância de cultivá-los para cuidar bem da vida e da carreira; http://saude.ig.com.br/minhasaude/2016-03-02/segredos-da-vitalidade-de-mick-jagger.html.

CONSEGUIR COOPERAÇÃO

[65] *O poderoso chefão*, Mario Puzo, Record. Em 1972, Francis Ford Coppola lançou o filme baseado no livro, com Marlon Brando no papel principal.

[66] *Dom Quixote de La Mancha*, Volume 1, pp. 122–123, Martin Claret.

[67] Em 9 de novembro de 2016, após confirmada a sua vitória à Presidência dos Estados Unidos, Donald Trump discursou para jornalistas, correligionários e eleitores em Nova York e saiu do palco ao som da clássica "You Can't Always Get What You Want", dos Stones; http://www.collectorsroom.com.br/2016/11/o-dia-em-que-keith-richards-tentou.html.

PENSAR COM SEGURANÇA

[68] Decisões radicais como a de John Nash são energicamente desaconselháveis, pois os remédios são fundamentais no tratamento psiquiátrico da esquizofrenia. O exemplo foi usado aqui apenas no que tange ao conceito de que, quando decide "tomar as rédeas de seu juízo", o ser humano pode conseguir grandes coisas, como o altíssimo grau de controle mental demonstrado por Nash. A frase usada no texto é uma paráfrase das frases faladas pelo personagem entre os 95 e 105 minutos do filme.

[69] Propaganda de TV do jornal *Folha de S.Paulo* em 1987, https://www.youtube.com/watch?v=pY4FCKlQISA. Uma voz em *off* lista feitos positivos de um governante, e a imagem acaba revelando tratar-se de Adolf Hitler. A voz em então diz: "É possível contar um monte de mentiras dizendo só a verdade".

[70] *O livro das citações: Um breviário de ideias replicantes*, Eduardo Giannetti.

[71] https://exame.abril.com.br/marketing-rolling-stones-chama-morumbi-de--panetone-no-instagram/.

[72] *Lincoln, esse desconhecido*, Breckenridge Carnagey.

[73] https://www.youtube.com/watch?v=3D-5Vh6tWH8.

[74] *Mick Jagger*, Philip Norman, capítulo 9.

MAIS QUE O COMBINADO

[75] *The Rolling Stones: A biografia definitiva*, Christopher Sandford, p. 119.

[76] https://whiplash.net/materias/curiosidades/064385-rollingstones.html, https://www.rollingstone.com/music/lists/keith-richards-wildest-escapades-19-insane-tales-from-a-legendary-life-20150916/a-near-death-shocker-1965-20150916.

TOLERÂNCIA

[77] Os transtornos mentais, algumas vezes ocasionados pelo estresse profissional, são a terceira causa de afastamento do trabalho no Brasil, de acordo com a Previdência Social; http://economia.uol.com.br/empregos-e-carreiras/noticias/redacao/2012/06/14/transtornos-mentais-sao-terceira-causa-de-afastamento-do-trabalho-saiba-quais-sao-eles.htm.

[78] *O livro das citações: Um breviário de ideias replicantes*, Eduardo Giannetti.

[79] Trecho extraído da edição da Ibrasa – Instituição Brasileira de Difusão Cultural (1963).

[80] *O livro das citações: Um breviário de ideias replicantes*, Eduardo Giannetti.

[81] *Mick Jagger*, Philip Norman, capítulo 14. Marianne Faithfull escreveu sua biografia, *Faithfull: An Autobiography*, com David Dalton (Cooper Square Press).

A REGRA DE OURO

[82] https://easyontheeyebooks.wordpress.com-forthcoming/c-deep-purple-fire-in-the-sky/.

[83] http://www.olavodecarvalho.org/a-demolicao-das-consciencias/.

[84] *Mick Jagger*, Philip Norman, capítulo 19.

EPÍLOGO

[85] Está certo o leitor que tenha achado um tanto forçado o autor lembrar de cada um dos discos escolhidos numa situação específica há 30 anos. Havia muitos discos em casa, e dessa ocasião só estou certo quanto ao álbum dos Stones e do Fellini, no qual estava viciado por aqueles dias. Todos os outros eram discos que tínhamos em casa e que fazem parte da trilha sonora da minha vida inteira.

[86] Eagles, Beatles, Husker Dü, Pink Floyd, The Jam, The Police, Blondie, The Clash e Bad Company são apenas algumas das muitas bandas que não suportaram os problemas internos e desfizeram-se, muitas vezes em meio a desentendimentos e acusações de parte a parte, quando ainda tinham muito a oferecer e a ganhar em termos de popularidade e dinheiro.

Livros para mudar o mundo. O seu mundo.

Para conhecer os nossos próximos lançamentos
e títulos disponíveis, acesse:

🌐 www.**citadeleditora**.com.br

f /**citadeleditora**

📷 @**citadeleditora**

🐦 @**citadeleditora**

▶ Citadel - Grupo Editorial

Para mais informações ou dúvidas sobre a obra,
entre em contato conosco através do e-mail:

✉ contato@**citadeleditora**.com.br